S0-AQL-140

# Manual para mujeres maltratadas que quieren dejar de serlo

Dra. Consuelo Barea

# Manual para mujeres maltratadas

## (que quieren dejar de serlo)

Detectar y prevenir
la violencia de género

**Manual para mujeres maltratadas que quieren dejar de serlo**
© Consuelo Barea Payueta, 2004

Cubierta: Enrique Iborra

© **Editorial Océano, S.L., 2004**
GRUPO OCÉANO
Milanesat, 21-23 – 08017 Barcelona
Tel.: 93 280 20 20* – Fax: 93 203 17 91
www.oceano.com

*Derechos exclusivos de edición en español
para todos los países del mundo.*

*Queda rigurosamente prohibida, sin la autorización escrita de los titulares
del copyright, bajo las sanciones establecidas en las leyes, la reproducción
parcial o total de esta obra por cualquier medio o procedimiento,
comprendidos la reprografía y el tratamiento informático, así como
la distribución de ejemplares mediante alquiler o préstamo público.*

ISBN: 84-7556-357-0
Depósito Legal: B-35768-XLVII
Impreso en España - *Printed in Spain*

9001556010704

# Índice

## CUARTA PARTE: SÍNDROME DE ESTOCOLMO

## QUINTA PARTE: VIOLENCIA DE GÉNERO

# Prólogo

La *violencia de género*, lacra histórica de nuestra civilización, parece recrudecerse cuando día tras día leemos noticias sobre nuevas muertas, sentencias misóginas y ausencia de mujeres en los puestos de decisión. Una mirada retrospectiva nos puede tranquilizar en cierta medida mostrándonos que algo hemos avanzado en legislación, asistencia y protección a la víctima, medidas igualitarias y conciencia social sobre el sexismo. Sin embargo, estamos todavía en los albores de un mundo más igualitario y menos patriarcal, y es mucho el trabajo que queda por delante.

Mi propósito al escribir este libro es, en primer lugar, acompañar a la mujer que está saliendo de una vivencia de violencia de género en el ámbito doméstico, describiéndole lo que no debe aguantar, explicándole lo que debe exigir e informándola sobre los aspectos jurídicos, médicos y sociales del proceso de liberación. Hay capítulos especialmente dedicados a la protagonista de esta historia, en los que me dirijo a ella de forma íntima para darle consejos prácticos y pistas adecuadas a su situación. También hay muchas citas de profesionales que han investigado el tema, mucha teoría sobre aspectos médicos, psicológicos y jurídicos, con el fin de que éste sea un libro práctico de *consulta y formación*.

Trabajo como médico psicoterapeuta de mujeres maltratadas y víctimas de agresiones sexuales, hago peritajes para sus juicios y formo a diversos profesionales que las atienden. Esta dedicación intensiva al tema de la violencia contra la mujer me ha obligado a definirme sobre sus posibles causas y erradicación. Mi punto de vista es el de alguien que ve a la mujer intentando encontrar la salida del laberinto de la violencia doméstica, pieza central de un laberinto mucho mayor: el de la violencia de género, del que las mujeres aún no hemos encontrado la salida.

Hay que devolver al hombre la responsabilidad de su violencia, hay que poner el centro de gravedad del maltrato en el varón. Es necesario aprender a detectar la violencia, pararla, curar sus secuelas y prevenirla. Hemos vivido un mundo y una historia construidos a través del mito masculino de la supremacía natural del varón sobre la mujer. Esta discriminación es la más extendida en el planeta, la más dañina, aquella cuya erradicación supondría el verdadero paso adelante de la humanidad. La violencia de género está en el núcleo de todas las discriminaciones, ya que los niños que la presencian se socializan en un modelo básico de supremacía de un ser humano sobre otro por una característica física. Es muy fácil que después, de adultos, justifiquen el abuso de poder de un grupo humano sobre otro, con la excusa de un color de piel, una lengua o una religión distintas. A los fundamentalismos va ligado siempre el sexismo. Los pueblos evolucionados deben distinguirse por la libertad de sus mujeres.

Las partes tituladas «Tristeza», «Miedo» y «Saliendo del maltrato» siguen el itinerario temporal de la mujer que escapa del terror. Intentan acompañar y formar en las etapas y acontecimientos que probablemente va a encontrar durante su liberación.

Se dan consejos prácticos para aumentar su seguridad y agilizar su recuperación como persona, como mujer y como madre.

El corazón del libro estaría en «El Síndrome de Estocolmo», la crónica del fracaso en la salida de la violencia de género. En este síndrome la víctima va incorporando poco a poco en sí misma al maltratador, justifica el maltrato y se autoculpa de él. El punto crucial de este verdadero lavado de cerebro es la complicidad de la sociedad con el agresor, que dirige a la mujer hacia el aprendizaje de que no hay escape del terror doméstico.

La mujer maltratada no es un ente aislado, sino un elemento social más, que influye y es influido por una dinámica colectiva.

En la evolución de los acontecimientos vitales de esta persona, van a ser decisivas las aportaciones e intervenciones «desde el exterior». En el momento crucial en que la mujer contacta por primera vez para explicar su experiencia de maltrato, la respuesta que se le da determina en gran medida lo que le ocurrirá después a ella y a sus hijos. En este modelo dinámico nuestra intervención es definitiva: si se ayuda a la mujer y se promociona la denuncia del maltrato, ella acaba saliendo de éste. Una actuación adecuada en el momento adecuado va a permitir la liberación del terror doméstico, una actuación hipócrita, insuficiente o sexista va a abocar a mujer e hijos a una pesadilla que sólo acaba en la muerte física o psíquica, y en el aprendizaje del sexismo.

En la parte del libro «Violencia de género» se describe la discriminación sexista y sus secuelas en la psicología de la mujer no ya a un nivel doméstico, sino a un nivel social e internacional. Es fundamental en la tesis del libro la aportación de la psicóloga e investigadora estadounidense Dee Graham, cuya obra permite una nueva comprensión de la secuela más grave de la violencia doméstica: el Síndrome de Estocolmo, y aporta una decisiva explicación de la psicología femenina como psicología del oprimido. Soy consciente de que la divulgación de sus teorías puede herir susceptibilidades; preguntas como «¿Los hombres amenazan la supervivencia de las mujeres?» pueden tacharse de inducción a un feminismo radical. Si la lectora o el lector de este libro tienen paciencia y honestidad en su lectura, si su mirada es ecuánime, habrán de admitir que la pregunta está totalmente justificada y que lo verdaderamente radical y revolucionario es la conclusión a la que podemos llegar.

**Nota 1:** A lo largo de todo el libro me he cuestionado el uso del género en el lenguaje. Por ejemplo, en la frase: «La madre y el hijo han de aprender a relacionarse de nuevo», donde en realidad quiero decir «hijo e hija», tendría que haber elegido una de las siguientes soluciones:

- La madre y el / la hijo/a han de aprender a relacionarse de nuevo.
- La madre y el / la hij@ han de aprender a relacionarse de nuevo.
- La madre y el hijo o la hija han de aprender a relacionarse de nuevo.

Esto daría lugar a párrafos difíciles y con constantes repeticiones, en un libro denso y de lectura ardua ya de por sí. Opto por lo tanto por disculparme ahora y usar el masculino inclusivo en ocasiones en que me estoy refiriendo a los dos géneros. Espero que la Real Academia encuentre una solución menos sexista en un plazo breve.

**Nota 2:** Quiero agradecer a mi amiga Mª Antonia Andreu Carafí su paciente colaboración con una primera lectura del borrador del libro.

# PRIMERA PARTE

# Tristeza

# Confusión

Si piensas que algo va mal en tu relación y no sabes exactamente qué es; si intentas hablar con tu pareja, aclarar las dificultades, pactar y nunca consigues una conversación satisfactoria; si él está en su mundo y no se entera de lo que le dices, parece aceptar tus propuestas pero luego se desdice o no recuerda haber hablado contigo; si piensas que es un problema de comunicación e insistes una y otra vez en aclarar las cosas sin conseguirlo... conviene que leas este capítulo y te plantees si en realidad él está saboteando la comunicación porque no quiere tratarte como a una igual.

Estás confusa y no sabes por qué. A veces crees que eres muy suspicaz e irascible, y otras te sientes indignada con tu pareja que parece «pasar» de tus preocupaciones.

En este capítulo veremos:

- Qué hace él y por qué lo hace
- Cómo afecta a la mujer este comportamiento

## Qué hace él y por qué lo hace

Cuando la pareja inicia la convivencia suele haber una fase más o menos larga de bienestar y buen entendimiento. En general los problemas no empiezan el primer día, ni siquiera con los futuros maltratadores. Si éstos insultaran y pegaran inmediatamente, muy pocas mujeres permanecerían con ellos. El maltrato suele empezar con una agresión verbal solapada y esporádica, difícil de distinguir de los comentarios y enfados normales entre dos personas cercanas. En el cortejo el agresor finge ser algo que no es. Necesita verse como un héroe. En cuanto empieza la convivencia se siente amenazado por la intimidad e intervención creciente de la mujer, que pueden desenmascarar su virilidad fraudulenta.

Vamos a describir aquí el comportamiento del maltratador más común, el que no está loco ni es un enfermo sino que se cree superior a la mujer. Es un sexista sin una patología psiquiátrica concreta, que puede haber sufrido o presenciado violencia doméstica cuando era pequeño. Se comporta normalmente mientras no hay tensiones o conflictos y/o mientras no siente que la mujer tiene o puede tener más poder que él.

Inevitablemente, en la convivencia surgen discrepancias o situaciones en las que es necesario llegar a acuerdos. Es entonces cuando él empieza a sentirse agobiado. La mujer intenta hablar con él y tomar decisiones en común sobre el dinero, los hijos, el tiempo de ocio, la sexualidad, etc.: «¿Qué hacemos con la hipoteca?»; «Nos ha citado la tutora del niño» o «A mí no me da tiempo de hacer las camas por la mañana, hazlas tú por favor». Él siente que ella quiere mandarle e imponer sus puntos de vista, le irrita que le diga lo que tiene que hacer o que le pida explicaciones por su conducta. Piensa: «¿Pero qué se ha creído ésta? ¡A mí me va a dar órdenes!», pero no quiere mostrar abiertamente su enfado y prefiere aparentar un comportamiento correcto. Cuando ella le dice algo que no le interesa, él se sumerge en la televisión, el ordenador o se va al bar con sus amigos.

Los grandes dictadores de la Historia han mantenido su abuso de poder sobre el pueblo mediante unas tácticas similares a las del maltratador doméstico. El primer paso es mantener el control y para ello hay que enviar el mensaje de que se es superior al otro. Cuando nos mostramos abiertamente a los demás, cuando somos sinceros y les hablamos de nuestros deseos, temores, defectos y cualidades, les estamos dando poder. Un recurso de los dictadores para mantener a raya al pueblo, es vetar una comunicación completa y fluida, no mostrar sus puntos débiles y los verdaderos problemas. Intentan mantener al pueblo al margen de la verdadera situación del país, de la vida y de los pensamientos reales de sus dirigentes y de la toma de decisiones. La información es poder y para no perderlo se ocultan en un mito de perfección, se alejan de la gente y filtran y falsean la comunicación. El ocultamiento es la primera asignatura del buen dictador.

El varón maltratador se cree superior a la mujer sólo por su condición masculina. Esa pretendida superioridad le resulta muy cómoda porque le otorga control y privilegios. Para mantener el mito de la superioridad empieza por ocultarse. Un trato de igualdad implica conocer y darse a conocer, dialogar, pactar, etc. Del mismo modo, en la primera fase de la relación de pareja los maltratadores intentan no mostrar sus pensamientos o sentimientos a la mujer cuando ésta se lo solicita. Tampoco quieren escuchar sus quejas o demandas de comunicación porque para ellos eso sería rebajarse. Por descontado, no harán lo que ella les pida o sugiera… «¡Ni que fueran unos calzonazos!».

## ¿Cómo se comporta él?

▪ **Pretende no ver** el mundo de la mujer para mantenerla en un nivel inferior.

▪ **Ignora lo que ella le dice.** Se hace el sordo cuando ella le dice algo que no le interesa.

▪ **«Olvida»** sus promesas a la pareja. Evita hacerse responsable de sus actos.

▪ **Se niega a** discutir lo que no le conviene. No hace planes con ella.

▪ **Se sumerge en** sus intereses: fútbol, Internet, los amigos, el bar, etc., cuando ella lo reclama.

- **No dice lo que piensa** ni expresa sus verdaderos sentimientos. Revela lo menos posible de sí mismo. Miente sobre sí mismo

- **Se siente amenazado** por la creciente insistencia de ella en hablar y tomar decisiones. Decide por su cuenta sin consultárselo a ella, no cree que tenga que darle explicaciones. Se siente acosado y está decidido a negarle el poder.

- **No se compromete** ni responsabiliza de la casa aunque la mujer trabaje igual que él.

- **Si ella pregunta o se queja,** él evade las preguntas molestas con actitud de superioridad y cólera contenida.

- **Al aumentar los intentos** de ella para comunicarse él aumenta la intensidad del «sabotaje». Cambia de tema. Utiliza un lenguaje confuso, insinúa.

- **Niega el conflicto:** «No sé de qué me hablas». Minimiza la incomunicación: «Eres una exagerada»; «Tienes que aceptarme tal como soy».

- **Se defiende** con una queja mayor a la de ella sin querer solucionar el problema. Suelta una retahíla de agravios pasados.

- **Cree que** ella se está permitiendo cuestionarle, que se está tomando demasiadas libertades. Siente que debe demostrar «quién lleva los pantalones» y que «tiene que pararle los pies».

- **Empieza a mostrar** su cólera con contestaciones descaradas y cínicas llenas de soberbia contenida: «Te lo diré en su momento.»; «¿Por qué me lo preguntas?»; «¿Tú qué te crees?».

- **La culpa de buscar pelea:** «No quiero discutir»; «Ya me estás atacando».

■ **Proyecta la culpa en ella:** «Eres muy sensible»; «Todo lo sacas de quicio».

## Cómo afecta a la mujer este comportamiento

Ella cree en la buena fe de su pareja, confía en él, está convencida de que quiere un trato igualitario con ella y de que la quiere. Por lo tanto, vuelve a insistir en hablar con él y arreglar las cosas; insiste en la comunicación. Piensa que él no la ha entendido y si la entiende llegarán a un acuerdo. Piensa que es despistado, introvertido, que sus aficiones le absorben.

Ella se explica y manifiesta sus emociones. Él parece comprender pero luego todo sigue igual o se crea un nuevo malentendido.

A ella le empieza a extrañar que su compañero no se comporte con ella igual que con sus amigos y jefes varones. Con ellos es humilde, da explicaciones, no está a la defensiva, escucha y se entera, pacta, cumple lo prometido, comparte intereses y aficiones; en fin, les deja entrar en «su mundo», un mundo del que ella se siente marginada.

La mujer siente que «algo va mal» pero no sabe qué es. Está cada vez más desconcertada y triste, se siente irritada y confusa. Se siente sola y poco apoyada. A veces piensa que es una exagerada y se siente culpable. Si intenta hablar del tema él se niega, se queja de que ella está haciendo un problema de nada, de que quiere empezar una discusión e impide que se hable en serio sobre el asunto: «No tengo ni idea de lo que quieres decir»; «No sé de qué me estás hablando».

La mujer se siente frustrada y perpleja. No puede conseguir que él comprenda sus puntos de vista. Empieza a preguntarse qué es lo que está haciendo mal y por qué se siente tan angustiada. Él comparte cada vez menos sus intereses o sentimientos, y curiosamente siempre parece tomar el punto de vista opuesto en cualquier tema que ella menciona. Ella afirma con humildad: «Yo creo...»; «Me parece que...»; mientras que él habla con autoridad, como poseyendo la verdad, dando por sentado que el único punto de vista correcto es el suyo. Ella nunca es capaz de decirle «¡Cállate!» o «¡Para!», pero él lo hace frecuentemente.

Él está ganando poder y ella lo está perdiendo, se siente insegura y su autoestima baja. En público parecen una pareja, pero en privado tiene que soportar largos silencios, desinterés, sutiles menosprecios, ira contenida, fría indiferencia, sarcasmo.

Él niega siempre su hostilidad y no da validez a las afirmaciones o valoraciones de su compañera, en tanto que con los amigos es agradable y encantador.

El abuso verbal es un problema de control, de lucha por adquirir y mantener el poder. Los primeros efectos del abuso verbal son confusión, angustia y culpabilidad.

Las secuelas de la agresión psicológica continuada son tan graves como las de la agresión física. De hecho, la muerte puede llegar también con la agresión psicológica, por inducción al suicidio. Toda agresión física va precedida o acompañada por una agresión verbal o psicológica.

**Un consejo.** Si existe agresión verbal investiga sus antecedentes. Intenta conocer:

■ **Su historia personal** hablando con personas que le hayan conocido a él o a su familia. Busca información sobre la existencia de malos tratos o agresiones de cualquier tipo en su infancia. Sondea discretamente a familiares y conocidos sobre circunstancias de violencia que tu pareja pudiera haber presenciado o sufrido directamente cuando era niño. Recuerda que la semilla de la violencia se planta en las mentes infantiles y es muy difícil de erradicar. No necesariamente todo niño en esta situación desarrolla de adulto conductas violentas, pero de darse esos antecedentes puedes tener un factor añadido que dificulta el cambio de tu pareja y te da pistas de la posible evolución de la relación.

- **Sus antecedentes laborales:** si ha cambiado con frecuencia de trabajo y por qué lo ha hecho.

- **Si es conflictivo** o ha tenido episodios violentos con alguien.

- **Si maneja mal la frustración.** Si estalla por pequeñas cosas, si coge rabietas caprichosas.

- **Si ha tomado o toma drogas:** alcohol, cocaína, etc.

- **Si tiene antecedentes psiquiátricos,** psicosis, trastornos de la personalidad. Si actualmente padece una enfermedad mental. Si usa algún tipo de psicofármaco. Si tiene ideas suicidas.

- **Si es cruel con los animales,** si es cazador por el gusto de matar, si le gusta jugar con armas y tiene juegos o fantasías sobre ellas.

- **Si tiene alguna conducta adictiva:** juego, sexo, etc.

- **Si ha sido violento con sus parejas anteriores.**

- **Si ha sido violento o muy celoso contigo** durante el noviazgo.

- **Si tiene una imagen pobre de sí mismo** o está inseguro sobre su masculinidad y necesita demostrar que es muy «macho».

- **Echa la culpa a otros** de sus problemas, especialmente a su pareja.

- **Si admira a los que usan la violencia** como método de resolución de problemas.

- **De ser posible,** ten una conversación confidencial con alguna de sus antiguas parejas. Entérate de cómo la trataba y por qué acabaron la relación.

# Desenmascara las frases manipuladoras
## con doble sentido

Frases pretendidamente inocentes pueden esconder descalificaciones y manipulaciones que dejan al receptor confuso y herido. En el libro *The gentle art of verbal self-defense*[1] de Suzette Haden, se citan algunos ejemplos y se añade el significado oculto entre líneas:

- «Si realmente me quisieras no te irías de casa» = Frase manipuladora que finge decir: «No me quieres» y dice: «No te vayas de casa».
- «Si realmente me quisieras no querrías irte de casa» = Frase manipuladora que finge decir «No me quieres» y dice: «Tus sentimientos son malos»; «Tienes que sentirte culpable».
- «¿Es que ni siquiera te importa lo que me pase?» significa: «Tus sentimientos son malos»; «Tienes que sentirte culpable».
- «Hasta un tonto lo entendería» parece: «Es muy fácil», pero en realidad es: «Para entender esto no hacen falta muchas luces, o sea, que tú que eres muy poco inteligente puedes entenderlo».
- «Todos se dan cuenta de por qué tienes tantos problemas» dice: «Tú no entiendes algo sencillo»; «Tú tienes muchos problemas».
- «Otros no aguantarían contigo tanto como yo» implica que: «Yo soy muy bueno y tú eres insoportable»; «Deberías sentirte mal»; «Deberías sentirte culpable»; «Deberías estar agradecida» y «Puedo dejar de aguantar».

# Depresión

Si antes tu compañero parecía no escucharte y no conseguías ni tomar decisiones con él ni que te entendiera, ahora parece como si todo lo hicieras mal: te corrige tus errores «por tu bien», te señala tus fallos y te aconseja que vayas al psicólogo. Cuanto más seguro está él de sí mismo, más insegura te sientes tú. Si antes estabas confusa ahora estás profundamente triste. Si antes creías que había un problema en vuestra relación y no sabías cuál era, o bien creías que era la escasa comunicación, ahora él te ha hecho ver que el problema eres tú: haces las cosas mal, o estás gorda, o coqueteas con todos, o cocinas mal, o no tienes cultura, o… No te atreves a hablar por no meter la pata y empiezas a estar insegura en tu trabajo. Estás a las puertas de la depresión.

En este capítulo veremos:

- Qué hace él y por qué lo hace
- Cómo afecta a la mujer este comportamiento
- Que és «silenciar el yo»

## Qué hace él y por qué lo hace

El hombre maltratador intenta demostrar que ella es inferior para así mantener el mito de su superioridad. Ya no se limita a ocultarse e impedir la comunicación, ahora ataca a la mujer haciéndose el bueno y cariñoso. Disimula su cólera y trata de evidenciar los defectos y debilidades de su pareja. Invade el «territorio enemigo» solapadamente.

## Muestra superioridad de forma encubierta

▨ «¿Me entiendes?» significa: «¿Es demasiado difícil para ti entender lo que yo digo?».

▨ «¿Puedo ayudarte?» significa: «¿Quieres que te explique cómo resolver tus problemas?».

▨ «Yo que tú…» significa: «Sé mejor que tú lo que tienes que hacer».

## Pretende ser de una clase superior

▨ «Tú no me entiendes» significa: «Soy demasiado superior a ti para que puedas entenderme».

▨ «Somos diferentes» significa: «Yo soy mejor que tú».

▨ «Es cosa de mujeres» significa: «Es un trabajo, un tema, irrelevante».

## Sus opiniones irrefutables desacreditan las de ella

▨ «Todo el mundo está de acuerdo en que…»; «Estarás de acuerdo conmigo en que…» significa: «No te atrevas a llevarme la contraria».

▨ «Nunca escuché nada parecido» significa: «Nadie va a creer semejante estupidez».

## Busca impunidad para sus críticas

▨ «Sólo era una broma, ¿es que no tienes sentido del humor?» significa: «Aguanta mis insultos con una sonrisa».

▨ «Incluso tú deberías…» significa: «Incluso tú, que eres imbécil, deberías…».

▨ «¿Puedo decirte una cosa?»; «¿Puedo hacerte una pregunta?» significa: «¿Estás preparada para un ataque?».

▨ «¿Cómo es posible que una persona inteligente como tú diga una cosa así?» significa: «No eres tan inteligente como crees».

**Prohíbe y da órdenes.** La compara con un pretendido modelo «ideal» para manipular su conducta:

- «¿Has visto comportarse así a otra mujer?».
- «¿Pero qué clase de mujer eres?».
- «Un matrimonio debe ser para toda la vida».
- «¿Por qué no puedes ser como las demás personas?».
- «Lo normal es…».
- «Siempre se ha hecho así».
- «¿Así me pagas mis sacrificios?» significa: «Estás en deuda conmigo»; «Eres egoísta si no haces lo que yo quiero».

**Define cómo siente y piensa ella, y lo que le conviene.** Pretende conocer a la mujer que es mejor que ella. Intenta demostrar que la percepción que ella tiene de la realidad es falsa. Niega su versión. Se siente con derecho para definirla y decirle lo que le conviene:

- «Tu problema es que…».
- «¿Estás segura de que es el color que te conviene?».

**Niega las emociones y experiencias de ella**

- «No te puede gustar eso».
- «¿Cómo puede gustarte esa música?».

**La define como carente de cualidades y llena de defectos.** Hace juicios de valor y la descalifica globalmente por una característica física:

- «Eres una mala mujer».
- «Hueles mal».
- «Estás muy gorda».

**Lo que ella hace está mal.** Le critica cómo cocina, cómo cuida a los hijos, su aspecto, etc.

- «Eres muy mala cocinera».

## Generaliza a partir de algún pequeño defecto o error

- «Tú siempre... ».
- «Tú nunca... ».

## Sabotea sus logros

- «¿A quién quieres impresionar?».
- «Es una buena idea, pero... ». (Elogio seguido de una insinuación negativa).
- «Qué pena que no hayas añadido, acabado... ». (Lo que falta invalida lo hecho).

## La contrarresta sistemáticamente. Opina siempre lo contrario. Compite, se siente amenazado por cada idea de ella:

- «Cualquiera sabría hacer eso». («Cualquier idiota sabría hacer lo que tú haces»).
- «Espero que no te enfades por esto, pero... ». («No creas que eres tan perfecta»).

## Cuestiona lo que ella dice sin aportar nada

- «Si tú lo dices... ».
- «Eso lo dirás tú... ».

## La culpabiliza

- «¿Cómo pudiste hacer eso?» («¿Cómo pudiste ser tan estúpida?»).
- «Estarás contenta, ¿no?».
- «¿Quién ha hecho eso?».
- «¿Sabes lo que estás diciendo?».

Citas del libro *The verbally abusive relationship: how to recognize it and how to respond* [2], de Patricia Evans:

- «Ellos nunca, ni por un momento, se dieron cuenta de que estaban maltratando. Sabían lo que decían, pero como a los violadores o asesinos, no les concernían los efectos de su conducta. Casi siempre se sentían mejor después de maltratar».
- «Cada vez que él la derriba, es decir, que ella renuncia a seguir discutiendo y razonando con él, él cree que ha ganado».
- «Parece como si los insultos y comentarios crueles se hubieran convertido en una rutina casi automática, una manera de vivir».
- «Nunca un cumplido, nunca un 'gracias', nunca un 'perdona', nunca un 'estaba equivocado'».
- «¿Qué fue lo peor de la relación, el maltrato físico o el verbal? ¡Y sin excepción la contestación era: el abuso verbal!».

## Cómo afecta a la mujer este comportamiento

De forma sutil o no tan sutil, se le repite a la mujer el mensaje de que su percepción de la realidad es incorrecta y de que sus sentimientos son malos o patológicos. Ella acaba dudando de su propia experiencia y sintiéndose culpable por lo que pasa.

Empieza a caminar sobre alfileres, con infinito cuidado, preguntándose qué es lo que hace mal. Se esmera en todo. Analiza su propia conducta, se echa la culpa de lo que sucede y excusa a su compañero.

Intenta evitar que el hombre se enfade. Hace maravillas para frenar la tensión creciente, para calmar su ira antes de que él se vuelva más peligroso, pero siempre hay algo que ella hace o dice mal, o algo que ella tiene que hacer y no hace, etc. Cuanto más se disculpa ella por sus «errores», más se enfada él. Cuanto más le manifiesta ella su amor, él la percibe más empalagosa, dependiente e incluso exasperante. La ve como a una entrometida a la que hay que parar los pies.

En la fase de **confusión** la mujer admira a su compañero y piensa que ha tenido mucha suerte de tener una pareja así. Ve que algo va mal pero no sabe lo que es.

En la fase de **depresión** ella se siente inferior a él, cree que él está en posesión de la verdad. Se siente mal después de hablar con él pero no sabe por qué, se disculpa una y otra vez. Está muy confusa respecto a ella misma, cree que él es un «superhombre» y que debe tener razón en lo que dice: ella tendría que cambiar. Si antes no sabía lo que estaba mal ahora empieza a pensar que lo que está mal es ella misma. Se puede llamar a esta fase de «Cenicienta y Supermán».

La mujer que vive lo antes descrito empieza a sentirse triste e insegura. Llora con frecuencia, está angustiada. Cree que hace mal las cosas. En este momento su compañero le dice cariñoso: «¿Por qué no vas al psicólogo?» y ella va al psicólogo, puede que al psiquiatra. Empieza entonces la medicalización del problema. Es muy probable que se le receten psicofármacos (antidepresivos, ansiolíticos, hipnóticos). Desgraciadamente, muchas veces las «drogas legales» anulan la capacidad de respuesta de la mujer ante el maltrato y la convierten en una zombi triste y sumisa. Se le diagnostica una depresión.

**¿Qué es un episodio depresivo?** Según el manual de diagnóstico psiquiátrico DSM IV[3] (Diagnostic and Statistical Manual of Mental Disorders): **el episodio depresivo mayor** requiere la presencia de cinco (o más) de los siguientes síntomas durante un período de dos semanas, que representan un cambio respecto a la actividad previa; uno de los síntomas debe ser estado de ánimo depresivo o pérdida de interés o de la capacidad para el placer.

1. **Estado de ánimo depresivo** la mayor parte del día, casi cada día según lo indica el propio sujeto (p. e., se siente triste o vacío) o la observación realizada por otros (p. e., llanto).

2. Disminución acusada del interés o de la **capacidad para el placer** en todas o casi todas las actividades, la mayor parte del día, casi cada día (según refiere el propio sujeto u observan los demás).

3. **Pérdida importante de peso** sin hacer régimen o aumento de peso (p. e., un cambio de más del 5 % del peso corporal en un mes) o pérdida o aumento del apetito casi cada día.

4. **Insomnio** o hipersomnia casi cada día.

5. **Agitación o enlentecimiento** psicomotores casi cada día (observable por los demás, no meras sensaciones de inquietud o de estar enlentecido).

6. **Fatiga** o pérdida de energía casi cada día.

7. Sentimientos de **inutilidad o de culpa** excesivos o inapropiados (que pueden ser delirantes) casi cada día (no los simples autorreproches o culpabilidad por el hecho de estar enfermo).

8. Disminución de la capacidad para pensar o **concentrarse, o indecisión**, casi cada día (ya sea una atribución subjetiva o una observación ajena).

9. Pensamientos recurrentes de **muerte** (no sólo temor a la muerte), ideación suicida recurrente sin un plan específico o una tentativa de suicidio o un plan específico para suicidarse.

## LOS SÍNTOMAS

- Provocan malestar clínicamente significativo o deterioro social, laboral o de otras áreas importantes de la actividad del individuo.
- No son debidos a los efectos fisiológicos directos de una sustancia.
- No se explican mejor por la presencia de un duelo.
- Persisten durante más de dos meses.

**Nota:** El conocimiento de estos criterios no permite hacer un diagnóstico de depresión; se incluyen aquí como información que nunca podrá suplir a la opinión del médico, pero que puede clarificar el concepto de depresión y unificar términos.

Detrás de muchas depresiones femeninas se ocultan los malos tratos psicológicos. La tristeza es la primera reacción a la agresión verbal continuada y solapada por parte de un ser querido. Dar un tratamiento sintomático a la mujer sin investigar la causa de los síntomas, es tapar los mecanismos naturales para mostrar que algo no va bien, e inhibirse ante un posible delito. Puede ser necesario un antidepresivo, pero también lo es clarificar la dinámica de la relación, asesorarla a ella sobre sus derechos y hacerle accesibles los recursos sociales existentes. Es normal sentir tristeza bajo la presión de la agresión psicológica, pero lo que hay que hacer no es tapar la tristeza, sino parar la situación violenta y abusiva.

## ¿Qué es «silenciar el yo»?

La mujer que vive un maltrato psicológico acaba sintiendo que sus opiniones no son válidas, que sus sentimientos son erróneos, que todo lo hace mal, que su pareja vale mucho más que ella y, como consecuencia lógica, empieza a ocultarse en la relación, a sacrificarse por los otros, a poner a su pareja delante de ella misma aunque eso le haga sentirse mal o le cree dificultades.

Supedita su vida a la de su pareja, siempre prevalece el criterio, el deseo o la necesidad de aquélla. Las mujeres han tenido siglos de entrenamiento en estos menesteres, ya de pequeñas se las ha puesto detrás de los hermanos varones en el mismo ámbito familiar. Ponerse en segundo lugar es el ideal de la buena esposa tradicional. Tal sometimiento y anulación produce tristeza, irritabilidad o enfado. ¿Qué puede pasar si ella se muestra tal como es? ¿Si gana más sueldo, sabe más o es más inteligente? ¿Si desarrolla su creatividad? Es el varón frustrado y sexista el que teme que eso suceda porque, en vez de sentirse orgulloso de su pareja, se vería a sí mismo como un fracasado al desmoronarse el mito de su superioridad frente a ella.

Dana Crowley desarrolla en su libro *Silenciando el yo* [4] su teoría sobre la depresión femenina. Reproducimos aquí el test final de este libro por su carácter didáctico en cuanto al reconocimiento de ciertas actitudes:

«Muchas mujeres suprimen sus pensamientos, opiniones, ambiciones y creatividad en un esfuerzo suicida para preservar una relación. Eligen sacrificar su yo para no «herir» a su pareja, para no sentirse culpables. Eligen quedarse en segundo plano para que el ego del varón quede intacto. Este comportamiento, aparentemente libre, es el preámbulo de la depresión y de la sumisión. ¿Alguna vez has suprimido tu voz para que no se rompiera una relación? ¿Cuánto te silencias en tus relaciones íntimas?».

Los ítems de la escala de Crowley pueden evidenciar por sí solos, sin necesidad de puntuaciones, si silencias tu yo. Piensa con total sinceridad si podrías aceptar para ti misma las siguientes afirmaciones, si describen tu punto de vista y tus sentimientos:

- No expreso mis sentimientos en una relación íntima cuando sé que ello causará un desacuerdo con mi pareja.
- Amar significa poner las necesidades de la otra persona por delante de las mías.
- Considerar que mis necesidades son tan importantes como las de la gente a la que quiero es egoísta.
- Me resulta más difícil ser yo misma cuando estoy en una relación que cuando estoy sola.
- Tiendo a juzgarme a mí misma por cómo me ven otras personas.
- Me siento insatisfecha conmigo misma porque debería ser capaz de hacer todas las cosas que se supone que la gente hace.
- En una relación íntima soy responsable de hacer feliz a la otra persona.
- Amar a alguien significa elegir hacer lo que la otra persona quiere, incluso cuando yo quiero algo diferente.
- Una de las peores cosas que puedo hacer es ser egoísta.
- Siento que de alguna manera tengo que actuar para gustar a mi pareja.

- En vez de tener confrontaciones arriesgadas en las relaciones íntimas, yo preferiría no «balancear la barca».
- A veces parezco bastante feliz por fuera, pero por dentro estoy enfadada y rebelde.
- Para que mi pareja me quiera, no puedo revelarle ciertas cosas sobre mí.
- Cuando las necesidades u opiniones de mi pareja entran en conflicto con las mías, más que defender mi propio punto de vista acabo estando de acuerdo con él.
- Cuando estoy en una relación íntima pierdo el sentido de quién soy yo.
- Cuando parece que alguna de mis necesidades no puede ser satisfecha en una relación, suelo creer que, de todos modos, no era muy importante.
- Hacer cosas sólo para mí es egoísta.
- Cuando tomo decisiones, los pensamientos y las opiniones de otras personas me influyen más que mis propios pensamientos y opiniones.
- Raramente expreso mi cólera a los allegados.
- Siento que mi pareja no conoce mi ser real.
- Siento que es mejor guardar para mí mis sentimientos cuando éstos entran en conflicto con mi pareja.
- A veces me siento responsable de lo que otras personas sienten.
- Encuentro difícil conocer lo que pienso y siento porque paso mucho tiempo pensando en cómo están sintiendo otras personas.
- En una relación íntima, no me suele preocupar lo que hagamos, siempre que la otra persona sea feliz.
- Intento enterrar mis sentimientos cuando creo que ellos crearán problemas en mis relaciones íntimas.
- Nunca parezco dar la talla en los objetivos que establezco para mí.
- Si para ti es cierta la última pregunta, escribe tres de los objetivos que tú crees que no alcanzas.

# ¿Qué se puede hacer?

Has pasado por una etapa de confusión respecto a tu relación de pareja. Ahora estás deprimida, tienes baja autoestima, te sientes despreciada y anulada por él, que critica todo lo que haces y te contrarresta en todo lo que dices. En este momento te sientes mal psicológica y físicamente. Has empezado a tomar antidepresivos. No te dedicas como antes a tus estudios o a tu trabajo, te sientes fea, inútil, tonta…

Te das cuenta de que él no te trata bien aunque aparenta amabilidad; cuando lo ves encantador con otras personas piensas que nadie te creería si explicaras tus dudas sobre él, te sientes culpable por tenerlas y no sabes cómo expresarlas.

Estás decidida a intentar parar sus descalificaciones y que te trate con respeto; le quieres, pero te das cuenta de que no podéis seguir así. Estás empezando a plantearte dejarlo si no cambia, pero quieres hacer un último intento de convivencia.

En este capítulo veremos:

- Cómo se tendrían que resolver los conflictos en la pareja
- Cómo debe reaccionar la mujer si él persiste en su trato vejatorio

## Cómo se tendrían que resolver los conflictos en la pareja

La «resolución de conflictos» propone un abordaje de los problemas y las discusiones mediante el uso del respeto y la igualdad de las partes. Se pide primero a los participantes que manifiesten su creencia de que ninguno es superior al otro; su voluntad de exponer los hechos, sentimientos y pensamientos sin descalificar, mentir ni degradar; su deseo de negociar y llegar a acuerdos; su aceptación de que en algo tendrá que ceder cada parte para que la otra no rechace la proposición. En una negociación desde la igualdad no tiene que haber vencedores ni vencidos.

Ésta es la teoría y está muy bien, pero cuando la convivencia está plagada de hábitos y tics degradantes es muy difícil partir de cero y volver a empezar. Sin embargo, no es imposible; a veces se consigue, y es el derecho y el deber de los componentes de la pareja intentar una mejor resolución de sus conflictos.

Naturalmente, la idea de la igualdad no es compartida por el hombre sexista, que en el fondo está convencido de que la mujer es inferior a él o no tiene los mismos derechos. Aparentemente, él va a acceder a intentar un nuevo método de resolución de sus conflictos de pareja, pero sus cambios van a ser superficiales y en cuanto tenga ocasión va a sabotear la comunicación, diluyendo el intento de la mujer.

Los pasos a seguir son:

■ **Elegir la fecha, el lugar y el «orden del día».** El primer paso es pactar con la pareja encuentros periódicos para dialogar respetuosamente. Para que no sean en el territorio del hogar, donde se han desarrollado la mayor parte de peleas, se elige un ambiente distinto del habitual, agradable para los dos, en el que puedan estar sin los hijos, frente a frente y sin mucho ruido. Con el calendario delante se eligen las fechas, por ejemplo todos los viernes de mes a las nueve de la noche, o cada quince días un domingo por la mañana, etc. Se eligen también uno o dos puntos candentes para tratar como «orden del día».
En el tiempo hasta la cita hay que repasar los propios puntos de vista, clarificar los argumentos y ver en qué se podría ceder. Es mejor hacer esto por escrito, de forma clara y concreta.
Si sólo al plantear la posibilidad de este tipo de diálogo respetuoso, él se burla o se muestra sarcástico, no merece la pena seguir, ya que entonces las cosas sólo pueden empeorar. Si responde con interés y respeto hay que pasar al segundo punto.

**Aceptación de las reglas del juego.** Ambos miembros de la pareja han de aceptar las normas mínimas de un diálogo respetuoso para esos encuentros «especiales». Se requiere un compromiso sincero de seguir las siguientes pautas de comunicación:

## Comunicación igualitaria y activa
### CORPORAL

- Actitud de respeto y atención. Silencio, se evitan movimientos o ruidos que distraigan, golpes o manipulaciones de objetos, así como actividades paralelas (ver la televisión, jugar en el ordenador, hacer punto, etc.).
- Contacto visual directo y respetuoso.
- Tono de voz normal, sin gritos, cólera, soberbia, cinismo ni burla.
- Ausencia de intimidación corporal: cercando, acorralando, dando golpes a objetos, gesticulando o mirando amenazadoramente.

### EMOCIONAL

- Mostrar empatía, ser capaz de ponerse en el lugar del otro en alguna medida; mostrar cierto mimetismo emocional; si el interlocutor está muy triste, no reírse.
- Sonreír alguna vez.
- Antes del diálogo calmar las emociones muy negativas: cólera, angustia, rabia.

### VERBAL

- Establecer unos turnos de palabra de un minuto o minuto y medio aproximadamente. Las intervenciones no deben convertirse en monólogos. Hay que respetar las intervenciones del otro; si creemos que algo que queremos decir se nos va a olvidar, lo anotamos. No hay que interrumpir, ni empezar a hacer preguntas, ni cambiar de tema.

▨ Centrarse en hechos actuales muy concretos y no enumerar una lista interminable de antiguos agravios. No repetir un argumento una y otra vez. A veces se cree que repitiendo algo muchas veces se es más convincente, pero no es así. Si la otra persona dice que ya se ha dicho y que lo ha entendido, ya basta. Eso no implica que se le haya convencido o doblegado.

▨ Describir los hechos sin insultos, descalificaciones, «etiquetas», juicios de valor, manipulaciones, etc. No generalizar: «Siempre llegas tarde», sino especificar: «Has llegado tarde tres días». No hablar de lo que no conocemos, no hemos experimentado o nos han contado.

▨ Ser humildes. No hablar juzgando, dando lecciones, aconsejando, negando los sentimientos de la otra persona. El que habla debe evitar las afirmaciones tajantes, como si poseyera la verdad absoluta, o descalificando a los que no opinan igual. No intentar jugar a psicólogos (aunque lo seamos).

▨ No condenar a las personas, sino a los actos incorrectos de las personas.

## INTELECTUAL

El contenido de los encuentros debe centrarse en los problemas reales de la pareja. Sugerencia de temas a tratar en sucesivos encuentros:

▨ Los mínimos de convivencia. Los límites. Lo que no se está dispuesto a aguantar del otro. Lo que va a llevar a una ruptura definitiva si se repite.

▨ Las necesidades propias, lo que se espera. Soporte emocional, ayuda, sexualidad, etc.

▨ Gestión común del dinero, del trabajo de la casa, del ocio.

▨ Todo lo relacionado con los hijos.

El que habla debe solicitar una devolución *(feedback)* de su interlocutor: «¿Qué piensas de lo que te he dicho?»; «¿Qué quieres hacer?»; «¿Entiendes mi punto de vista?».

Para mostrar que se entiende lo que la otra persona dice es conveniente asentir con la cabeza de vez en cuando, parafrasear sus afirmaciones más importantes: «Entonces quieres decir que…» e intentar resumir los puntos principales de su exposición para que nos corrija si lo hemos entendido mal. Este resumen no significa que estemos de acuerdo con el contenido de lo dicho.

**Pactos.** No se debe acabar la conversación sin clarificar los puntos de acuerdo y los puntos de desacuerdo. Los pactos han de surgir de los puntos de acuerdo. Siempre se tiene que poder pactar algo.

Del pacto surge un compromiso que hay que respetar escrupulosamente, si no el diálogo no es honesto y la desconfianza destruye la relación.

Si se ve claro lo que el otro plantea como solución o no se quiere obedecer a ciegas lo que nos sugieren, se puede considerar la posibilidad de continuar la conversación otro día. *Tenemos derecho a pedir tiempo para pensar una respuesta.*

## Toda persona **tiene derecho a:**

- Juzgar su propio comportamiento, pensamientos y emociones, y a ser responsable de sus actos y sus consecuencias.
- No dar razones o excusas para justificar su comportamiento.
- Cambiar de parecer, cometer errores y ser responsable de ellos.
- Tomar decisiones ajenas a la lógica.
- Decir: «No lo sé»; «No lo entiendo»; «No me importa».
- Nadie tiene obligación de sacrificar sus propios valores para encontrar solución a los problemas de otras personas, o para que no se desintegren instituciones creadas por grupos de personas.

Del libro *Cuando digo no, me siento culpable*,[5] de Manuel J. Smith.

## Cómo debe reaccionar la mujer si él persiste en su trato vejatorio

Si la mujer ha propuesto a su pareja la resolución de conflictos anterior y no ha conseguido nada porque él sabotea el proceso o bien se niega abiertamente a seguirlo, ella debe pasar a la fase tajante de no admitir ninguna agresión verbal más. No debe dejarse influir por las palabras de él que minimizan el desprecio o la responsabilizan a ella misma de cómo la trata. No debe abandonar su plan porque él se burle cuando perciba sus nuevas tácticas.

Los pasos a seguir son:

- Detectar el maltrato
- Parar el maltrato
- Describir el maltrato
- Poner un ultimátum
- Cumplir el ultimátum

**Detectar el maltrato.** Después de meses o años de sufrir violencia psicológica de la pareja, es común que la mujer ya casi ni la identifique cuando sucede. Se ha acostumbrado tanto a las descalificaciones, a los gritos o los silencios, que casi le parecen normales. Debe primero volver a sensibilizarse, entrenarse en detectar el maltrato y en reaccionar ante él. Debe pararse a pensar en los peores agravios que su compañero le hace. Conviene que haga una lista y tome la decisión de no dejarlos pasar ni una vez más. Tendrá que poner toda su atención para que no le pasen desapercibidos; aunque parezca increíble suele haberlos integrado en la cotidianeidad. En esta toma de conciencia puede ayudar la lectura de los capítulos anteriores.

Hay un libro que en este sentido ha marcado un punto y aparte; un libro que describe el maltrato psicológico del compañero perverso con todo detalle: *El acoso moral,*[6] de Mary-France Irigoyen. A raíz de su publicación numerosas mujeres han caído en la cuenta de que eran mujeres maltratadas. La lectura de este libro puede ayudar a la mujer que no tiene claro si está sufriendo malos tratos psicológicos o si se lo imagina.

**Parar el maltrato.** Si después de diversos intentos de diálogo la respuesta de él es negativa, la mujer ha de pasar a una actitud más asertiva, abierta y exigente.

Cada vez que él repite la agresión debe decirle con tono seguro y decidido:

- «¡Basta ya!».
- «¡Deja de comportarte así inmediatamente!».
- «¡No vuelvas a hablarme así!».
- «¡No vuelvas a tratarme así!».
- «¡Deja de poner pegas a todo lo que digo! ¡Deja de contrarrestarme continuamente!».

La mujer ha de reaccionar de forma decidida, clara y tajante siempre que detecte el maltrato. Si no lo hace porque teme que él la agreda físicamente o la insulte con más crueldad, es que la violencia es mucho mayor de lo que ella se reconoce conscientemente, y la única salida posible es acabar la relación inmediatamente.

Cuando la mujer se ve capaz de poner límites, o por lo menos de intentarlo, debe marcar con su voz y sus acciones un punto y aparte después de la agresión y en relación a ésta, por ejemplo:

## TE IGNORA

Si él no habla contigo y te ignora puedes:

- Salir de la habitación diciendo: «Tu compañía me aburre». Vete de allí el máximo tiempo que puedas, llama a amigas, vete al cine, etc. Cuando vuelvas no le des explicaciones de lo que has hecho.
- Si no puedes dejar el lugar desconecta, lee un libro mien-

tras escuchas música con auriculares, ponte la cena para ti sola con todo cuidado, etc.

## BLOQUEA Y DESVÍA LA COMUNICACIÓN

Cuando le estás intentando decir algo importante para ti te bloquea, te distrae y desvía el tema. No responde a tus preguntas:

- Enfréntate a él, dile tajantemente: «¡Mírame!» y repite lo que le decías las veces que haga falta: «¡Mírame! ¿Adónde han ido a parar los 500 euros?»; «¡Mírame y escúchame! ¡Te estoy hablando!»; «¡Basta de desviar la cuestión!».
- No te dejes atrapar por sus palabras, céntrate en tu objetivo de obtener una respuesta.

## DICE NO HABER DICHO LO QUE HA DICHO O NO HABERTE OÍDO

- Si repetidamente niega haber pactado algo contigo, o se desdice de sus compromisos: saca el tema de nuevo, obtén su aparente compromiso y grábale mientras lo dice sin que se entere. Cuando niegue sus palabras ponle la grabación.
- Si se hace el sordo mientras le hablas, manteniendo el mismo tono de voz, intercala afirmaciones sobre algo de su interés: «Te ha llamado tu amigo»; «Nos ha tocado la lotería»; «Tienes una carta de Hacienda». Si reacciona es que sólo tiene sordera con lo que no le interesa.

## CONTRARRESTA Y CRITICA TODO LO QUE DICES

- Plantea su argumento como tuyo cuando haya olvidado la discusión, si de alguna manera sigue contrarrestando lo que dices, no tiene ningún interés en lo que se discute, sino en demostrar que eres inferior a él.
- Descolócalo. Cuestiona la autoridad de sus palabras. Cuando esté argumentando con más énfasis en tu contra, contéstale fríamente algo como: «Tienes opiniones poco confrontadas»; «Tus fuentes son incorrectas»; «Has sacado una opinión errónea»; «Es tu opinión»; «¿Tú crees?»; «¿De modo que esa es tu opinión?».

Un libro muy adecuado para animar a la mujer a parar la agresión verbal y que ha inspirado el párrafo anterior es *Abuso verbal*,[7] de Patricia Evans. En él no sólo se describen las diferentes formas de abuso verbal, sino que también se sugieren abordajes prácticos para cada situación.

**Describir el maltrato.** Después de producirse la agresión verbal y de haberla parado, la mujer ha de intentar tranquilizarse y recapacitar. Conviene que se tome el tiempo que necesite para comprender lo sucedido y calmarse. Cuando los ánimos estén más serenos ha de volver con su pareja y hablarle de lo sucedido, aunque no tiene por qué ser ese mismo día. Ella no ha de sentirse avergonzada ni culpable; por su propia dignidad como ser humano tiene el deber y el derecho de denunciar los hechos al agresor e intentar que comprenda cómo repercuten en ella:

- **Explícale con detalle** lo que te hace, haz que te escuche. Por ejemplo: «En las dos últimas cenas que hemos tenido con amigos, cada vez que yo hablaba me interrumpías, cambiabas de tema o te burlabas de lo que yo decía. Recuerda tu broma sobre mi peinado cuando yo explicaba mi ascenso».

- **No enmascares la agresión,** no permitas que eluda su responsabilidad. Él tiene que ser el sujeto de las oraciones, el centro de gravedad de la agresión son sus acciones.

- **No te justifiques** por hablar así, ni pidas perdón cuando es él quien tiene que pedirlo. No te eches la culpa de la agresión; por muchos fallos que tengas nadie merece ser tratado así. No creas las etiquetas que te pone.

- **No busques su aprobación** o su cariño después de plantarle cara. Trátalo de igual a igual, no como la niña que ha tenido una rabieta y se acerca cariñosa al papá para ser aceptada.

▦ **No te conformes con** que te pida perdón rápidamente y cambie de tema, tiene que estar arrepentido y mostrar espíritu de enmienda.

▦ **Recuerda que** tú no eres inferior a él, no des por supuesto que él no se cree superior a ti y quiere darte un trato de igualdad.

La mujer ha de describir emociones, pensamientos y conductas derivados de la agresión de él:

▦ «Cada vez que me tratas así me siento confusa y triste».
▦ «Estoy decepcionada de nuestra relación».
▦ «Me sorprende que pierdo espontaneidad y tengo que medir mis palabras contigo para que no se genere una discusión».
▦ «Tengo la sensación de que todo lo que hago te parece mal».
▦ «No consigo que tengamos una conversación clara sobre algunos temas; siento que no me escuchas».
▦ «Los niños se van a su cuarto cada vez que me hablas así».
▦ «Nuestro hijo ha empezado a hablarme como tú lo haces».

Si él se burla, discute lo que la mujer le dice, niega sus emociones, la califica despectivamente o la insulta, ella debe centrar su atención en sus propias emociones; indicador inequívoco de que algo va mal. Ha de resistir todas sus tretas de implicarla en una discusión. No ha de demostrarle que tiene razón, ni buscar su comprensión. No ha de probarle nada, ni ser entendida por él, ni ser perfecta, ni tener respuesta para todas las «flechas envenenadas» que le lanza. Puede decirle: «No me interesa lo que dices», sin intentar entenderlo, mostrarle afecto o «ayudarlo» a que cambie. Ha de irse inmediatamente de allí, dar un paseo. Dejarle con la palabra en la boca e ir a divertirse con alguien que la aprecie más (con ella misma, por ejemplo). Hay que dejar al agresor solo con su cólera. No escuchar ni medio minuto lo que diga a continuación.

**Poner un ultimátum.** Si, a pesar de todos los intentos dialogantes de la mujer para poner límites, siguen las acusaciones, descalificaciones, burlas, desprecios, juicios, críticas, desvalorizaciones, etc., ella ha de darse un plazo de tiempo máximo para seguir aguantando esa situación. Si realmente él quiere cambiar de actitud, en un mes tiene tiempo de sobras para dar muestras de buena voluntad, respeto y adaptación. Si en un mes no ha habido cambios no los habrá más adelante.

La mujer ha de pensar lo que no está dispuesta a seguir aguantando y resumirlo en una frase que exprese los límites que pone. Por ejemplo: «No estoy dispuesta a aguantar más desprecios, silencio y descalificaciones»; «No voy a soportar ni una actitud tuya más en la que te salga la cólera por los poros»; «No vas a volver a intimidarme con tus descalificaciones y tus críticas»; «¡No vuelvas a hablarme así nunca más!»; «¡No estoy dispuesta a soportar más comentarios como ése!»; «¡Paras o me largo!».

Ella tiene derecho a exigir cambios inmediatos:

- **Que él reconozca la agresión.** Si mantiene la negación del abuso es imposible un cambio. Una persona no puede cambiar si no reconoce necesitarlo.

- **Que acepte una psicoterapia** especializada para maltratadores, ya que sin ayuda externa se ha comprobado que es muy difícil abandonar la conducta agresiva. No basta con buena voluntad

- **Que no vuelva** a traspasar los límites.

- **Qué satisfaga** sus necesidades.

Ha de hablar seriamente con él y lanzarle el ultimátum cada vez que se repita la agresión:

- «Si vuelves a hablarme así voy a empezar los trámites de la separación».

■ «Una crítica más a mi trabajo y no vas a saber de mí en mucho tiempo».

## Abandona **la actitud de víctima**

■ Habla en tono firme y no con voz apagada, sumisa o débil. Utiliza tu enfado para hablar enérgica y rotundamente. Habla más lenta y premeditadamente.

■ Deja de disculparte continuamente por todo.

■ Descubre tus muletillas y elimínalas. Si es necesario grábate para estudiar tu propio lenguaje.

■ Mira al agresor a los ojos cuando hable.

■ Deja de encogerte, mantente erguida al máximo, incluso al sentarte.

■ Relaja las manos, no te tapes con ellas la cara ni te las retuerzas nerviosamente. No gesticules demasiado.

Pensar en el plazo que te has dado a ti misma para cortar la relación y en los días que faltan para cumplirlo te puede ayudar. Cuando comprendemos que una situación difícil va a acabar pronto nos sentimos con más fuerzas para soportarla mientras dura.

La mujer tiene que poner fin a una situación de desigualdad como ésta por su propia dignidad. Compartir con alguien de confianza lo que está viviendo y el ultimátum puede ayudarle en la firmeza de su propósito. Hacer saber a otros nuestros propósitos nos ayuda a cumplirlos sin echarnos atrás.

Si él responde que no le amenace, ella le puede contestar que le está exponiendo lo que no puede soportar; los mínimos que necesita para mantener una convivencia con alguien y que el ultimátum es la consecuencia lógica de su conducta.

### Cumplir el ultimátum

■ **Tiene que buscar una psicoterapeuta** especializada en violencia doméstica. Conviene que esta profesional (médico psicoterapeuta, psiquiatra o psicóloga clínica), pueda hacer un acompañamiento a la mujer en su proceso de liberación, ayudándola a seguir unas pautas de seguridad y autonomía crecientes. La psicoterapeuta debe tener experiencia en este tipo de casos, y conocer los procedimientos y las derivaciones adecuadas. La mujer debe preguntar a la psicoterapeuta si de darse el caso le hará un informe de las secuelas psicológicas que pueda tener por los malos tratos sufridos (informe que puede servir de peritaje o testimonio en un juicio). Si se niega, la mujer tendrá que buscar otra terapeuta.

■ **Ha de buscar asesoramiento jurídico** especializado en violencia doméstica. Necesita enterarse de sus derechos legales, aclarar la situación económica (bienes en común, declaración de la renta, etc.). Si se llega a la conclusión de que hay un delito de maltrato puede que la mujer no quiera denunciar. Es muy frecuente que la víctima de la violencia doméstica pida a su abogado separarse sin «hacerle daño a él», suavemente, «de puntillas». Ella teme en realidad las críticas y descalificaciones de su compañero, no quiere que la dañe más, teme sus represalias. Por eso es importante que el abogado o abogada la convenza de pelear por sus derechos, no dejarle a él todos los bienes, y lo que es peor: los derechos sobre los hijos si él lo solicita.

■ **La mujer ha de protegerse** para no soportar situaciones en las que no pueda escapar del abuso. Si sale con él a algún sitio ha de llevar dinero y el teléfono móvil para poder volver sola si no está a gusto. Si cree que va a volver a tratarla mal ha de preparar una bolsa con lo básico y dinero, para poder escapar en cualquier momento.

■ **No ha de crear nuevos** vínculos con él: compra de pisos, trabajo compartido o dependiente de él, embarazos, boda, etc.

■ **Ha de ver** con qué apoyos cuenta.

## Un consejo

Haz unas «vacaciones de pareja» para reflexionar sobre la relación y organizar tu respuesta. En ese tiempo puedes preparar la marcha y contactar con las personas que te dan apoyo. Necesitas pensar cómo vas a plantearle el fin de la relación y mentalizarte para una ejecución decidida de lo que te has propuesto.

---

[1] HADEN, S. *The gentle art of verbal self-defense*. Penguin, EE UU, 1999.

[2] EVANS, P. *The verbally abusive relationship*. Bob Adams, 1992.

[3] AMERICAN PSYCHIATRIC ASSOCIATION. DSM IV. «Diagnostic and statistical manual of mental disorders», Fourth Edition. Washington DC: American Psychiatric Association, 1994.

[4] CROWLEY, D. *Silenciando el Yo*. Harper Perennial, New Cork, 1993.

[5] SMITH, M.J. *Cuando digo no, me siento culpable*. Ed. Grijalbo, México, 1991.

[6] IRIGOYEN, M. F. *El acoso moral*. Ed. Paidós, Barcelona.

[7] EVANS, P. *Abuso verbal*. Ed. Vergara, Barcelona, 2000.

SEGUNDA PARTE

# Miedo

# Miedo

Ya no tienes dudas sobre lo que sucede, ya estás segura de que tu compañero no te trata bien. Si antes estabas triste ahora estás angustiada, empiezas a darte cuenta de que tienes miedo de él. Te maltrata de distintas formas y no sabes cómo poner fin a esa situación. A pesar de todo le quieres, pero no crees que pueda cambiar. Te amenaza y no te atreves a separarte. Te parece que algo terrible e irremediable puede ocurrir en cualquier momento; estás sobresaltada, tienes pesadillas, te encuentras mal…

En este capítulo veremos:

- El ciclo y la escalada de violencia
- Qué hace él y por qué lo hace
- Cómo afecta a la mujer este comportamiento
- Agresiones sexuales
- ¿Cuál es el retrato robot de la víctima?

## El ciclo y la escalada de violencia

La violencia de género tiene estructura cíclica; en la mayor parte de relatos la víctima describe que después de la agresión el compañero suaviza su conducta y sus palabras, y que esa aparente tranquilidad acaba cuando, sin motivo, él vuelve a cargarse de ira hasta que explota en una nueva agresión. Según datos de Estados

Unidos el 47 % de los varones que agreden a sus parejas repiten la acción al menos tres veces al año.

La Dra. Leonora Walker, psicóloga clínica y profesora universitaria, inició en la década de 1970 en Estados Unidos, la investigación científica sobre las secuelas del maltrato masculino a la mujer y la dinámica de la violencia doméstica. Walker es la primera referencia a nivel mundial sobre el tema; ha escrito doce libros, algunos de los cuales (como *La mujer maltratada*[1]) son ya un clásico. Ella fue la primera en hablar del ciclo de la violencia. Los estudios de Walker sobre el comportamiento de los agresores en violencia doméstica demuestran la tendencia de éstos a comportamientos cíclicos: aumento de la tensión, explosión violenta y fase de remordimiento o de «luna de miel».

## Fases del ciclo
### ACUMULACIÓN DE TENSIÓN

La tensión crece en el varón por diversas razones circunstanciales: problemas familiares, estrés en el trabajo o por el mismo negativismo del propio pensamiento. Su conducta se vuelve más agresiva a pesar de los enormes esfuerzos de la víctima para satisfacerle y calmarle. La agresión verbal debilita la moral de la mujer y envalentona al compañero, justificando según él el maltrato.

### EXPLOSIÓN VIOLENTA

El hombre explota y castiga duramente a su compañera. Ella resulta herida psicológica y/o físicamente, y terriblemente confusa.

Él ha acabado mostrando su cólera como instrumento para conseguir poder y control.

La tensión ha crecido hasta descargarse de muchas formas y en diferentes grados: insulta, dice cosas hirientes, pega, lanza o rompe objetos, se emborracha, permanece mudo durante días, pelea con otros, tiene un romance, compra cosas muy caras, juega, rechaza a la pareja, fuerza las relaciones sexuales, corta la tarjeta de crédito a la pareja, deja el trabajo, avergüenza a su pareja en público, cuenta historias de ella a sus espaldas o enfrente de ella, cambia de casa, amenaza con violencia, con llevarla a un manicomio o llevarse a los hijos, rompe la promesa de conducir con precaución, priva de sueño a la pareja, la castiga a nivel emocional...

Ella sólo intentaba mostrarle cuánto lo quería y ahora está viviendo un dolor terrible; sin embargo, no muestra su enfado ni toma represalias porque la desigual balanza que han establecido a lo largo de los años la paraliza. Todo el poder está en él. Ella lo ha aprendido muy bien, se siente impotente y débil.

## FASE DE REMORDIMIENTO O DE «LUNA DE MIEL»

Se da una manipulación afectiva, el agresor pide perdón, llora, promete cambiar. Durante un tiempo él dice y hace todo lo que la compañera quiere. Ella está en éxtasis, tiene poder, tiene a su hombre detrás. Ninguno de los dos quiere recordar. En realidad, no es adecuado llamar a este periodo de «luna de miel», ya que este «buen» periodo puede ser no tan bueno: él decide cuándo empieza y cuándo acaba, hay mayor probabilidad de que la mujer sea violada, puede ser el tiempo más confuso y difícil para la mujer. Sería más adecuado llamarla «fase de manipulación afectiva», pero como la mayoría de autores lo nombran así, adoptaremos esta nomenclatura.

Él puede estar avergonzado, sentirse culpable o temer las consecuencias de sus actos si ella lo denuncia (por lo menos las primeras veces). Pide perdón, llora, promete cambiar, ser amable, buen marido y buen padre. Admite que lo ocurrido estuvo mal. Esta actitud suele ser convincente porque en este momento se siente culpable de verdad.

Si ella le ha abandonado él hará lo que sea para que le acepte de nuevo. Se muestra amable y bondadoso. Ayuda en las tareas del hogar como en los primeros tiempos. Simula un resurgimiento de sus creencias («He vuelto a ir a la Iglesia desde que me dejaste»), pone en Dios la responsabilidad por sus agresiones. Si bebía, deja de beber. Ella se dice: «Si él puede dejar de beber, dejará de pegarme», pero beber no es la causa de la agresión; si así fuera el maltrataría también a otras personas. Curiosamente, él suele ser encantador con el resto del mundo aunque esté borracho. Usa el hecho de hacer terapia como signo concluyente de su curación: «Aquello ya terminó, estoy haciendo terapia y soy otro». Durante un tiempo él dice y hace todo lo que la compañera quiere. Él se relaja un poco en las restricciones que imponía, ella no se siente tan aislada. Están ahora en una nube de «luna de miel».

Él percibe esos momentos como si ella estuviera entonces controlándole y en uso del poder. Una vez perdonado por la compañera el celo decrece y empieza de nuevo la irritabilidad, la tensión aumenta y acaba la etapa relativamente agradable. Cuando ella intenta ejercer su recién ganado poder, él siente que pierde control. Empieza a sentirse inquieto por ello y vuelve a sentir necesidad de demostrarle a ella «quién manda allí» o de «pararle los pies». Al poco tiempo vuelve a empezar la fase de aumento de la tensión. Se inicia una nueva discordia y con ella un nuevo ciclo en el que él intenta crear miedo y obediencia más que respeto e igualdad.

Si él no consigue convencerla para que sigan juntos después del incidente violento, suele intentar convencerla alternando manifestaciones excesivas de pasión, regalos extravagantes, promesas de cambio, con acoso, insultos, manipulaciones de los niños, amenazas a ella, amenazas de suicidio, etc. Él intentará hacerle la vida todo lo difícil que pueda, negándole los pagos que le corresponden, o las atenciones mínimas a los hijos. En estos momentos es cuando suelen ocurrir los asesinatos y agresiones más graves.

Cada pareja tiene su propio ritmo y las fases duran un cierto tiempo característico en cada caso, pero las etapas suelen ser más cortas cada vez que se repite el ciclo.

La mujer es más dependiente de su esposo, cada vez tiene menos poder. Cada episodio le roba algo de energía hasta que se siente como si no pudiera existir sin su compañero. Ella se convierte en su rehén.

## NEGACIÓN

Es el denominador común a todas las fases. El hombre minimiza la agresión: «No era tan grave»; «Yo no la pegué, sólo la empujé». Culpa a la víctima de exagerar y provocar la agresión. Racionaliza la situación: «Ella es feliz conmigo. Esta es la única vez que la he pegado». «Ella es la que manda en casa. Yo soy un calzonazos». Cuanto más se repite el hombre este tipo de mentiras, más se las cree. Se justifica, explicándose a sí mismo los motivos por los que «tuvo que hacerlo»: «Tuve que amenazar con matarla, se puso tan histérica que molestó a toda la vecindad y asustó a los niños, pero ella sabe que yo nunca podría hacerle ningún daño»; «Ningún hombre hubiera aguantado lo que yo aguanté».

**Limitaciones del modelo cíclico.** El «ciclo de la violencia» es un modelo muy conocido para explicar la dinámica de la violencia doméstica. A pesar de su gran utilidad para dar a conocer el hecho de que el maltratador «no es siempre malo», tiene ciertas limitaciones:

- **Aunque el «ciclo de la violencia»** se da en muchas relaciones violentas, el tiempo de un episodio a otro es irregular: puede variar días, semanas o meses.

- **No todas las mujeres** experimentan la violencia de esta forma. Muchas nunca pasan por las fases de «luna de miel».

■ **Este modelo se centra** en los incidentes violentos y no tiene en cuenta la conducta controladora que puede estar ocurriendo todo el tiempo.

■ **Este modelo no considera** las otras formas de violencia doméstica: sexual, psicológica, económica o social.

■ **Encamina** a un tipo de tratamiento centrado en el manejo de la cólera y el autocontrol. Esto encubre las actitudes subyacentes de sexismo y discriminación hacia el estatus de la mujer.

■ **La violencia** no es siempre necesariamente cíclica; a veces aparece de repente, de la nada, y no necesita justificación ni ritmo.

**La escalada de violencia.** La estructura cíclica de la violencia hace más difícil que la mujer acabe la relación con su pareja. ¿Quién no ha apostado por una relación conflictiva volviendo a intentarlo después de una dura discusión? La esperanza de que el compañero cambie, de que las cosas vayan mejor, de que en el proceso de acoplamiento vital de la pareja se vayan puliendo los roces, hace que cuando el agresor, satisfecha su cólera, dé muestras de alguna benevolencia o amabilidad hacia la víctima, ésta se agarre al gesto condescendiente y crea las palabras de disculpa, cambio o afecto del hombre. Se puede dar el caso de que después de insultar o pegar a la mujer, él quiera tener relaciones sexuales y ella lo interprete como una reconciliación. Muchas veces, después de la eyaculación vuelven la frialdad y el cinismo.

Aunque hablamos de un ciclo, sería mucho más correcto hablar de una «espiral de violencia», dado que cada vez que se repite el ciclo aumenta, desgraciadamente, la intensidad del maltrato.

## La escalada de agresión verbal y psicológica consiste en:

**Agresión verbal encubierta**
- Él impide la comunicación . . . . . . . . . . . . . . . . Ella está confusa
- Él intenta demostrar que ella es inferior . . . . . . . Ella está deprimida

**Agresión verbal abierta**
- Él la insulta y amenaza cruelmente . . . . . . . . . . Ella le tiene miedo
- Él la controla y aisla . . . . . . . . . . . . . . . . . . . . . Ella está a su merced
- Él la reduce a la nada . . . . . . . . . . . . . . . . . . . . Ella piensa en el suicidio

La agresión verbal puede ser tan dañina y destructiva como la física. No es necesario que haya una clara agresión física o sexual para que la mujer viva en el terror y sufra graves secuelas psicológicas. La destrucción sistemática de su autoestima y poder, las amenazas y el control pueden llevar a la mujer a ver el suicidio como un descanso. De la tristeza ha pasado al miedo. Poco a poco, sin saber cómo, se ha ido encontrando cada vez más angustiada, no duerme bien, está sobresaltada. *Si antes estaba triste, ahora tiene miedo.*

Una vez comienza la estructura cíclica, la escalada es casi imparable. Cuando agredir se vuelve una costumbre, la intensidad se hace cada vez mayor, aunque nunca se llegue al maltrato físico.

**La intimidación precede al maltrato físico.** El nivel intermedio entre maltrato psicológico y físico es la conducta amenazante o intimidación. El 90 % de las veces, con el paso del tiempo, ésta precede a un maltrato físico directo.

Intimidar es amenazar con la palabra, con el cuerpo, con golpes a objetos, patadas a puertas, maltrato a animales de compañía... Le impide el paso, la empuja y la pellizca como si fuera una broma. Poco a poco el agresor va cercando a la víctima y los golpes son cada vez más cercanos a ella.

# Qué hace él y por qué lo hace

En la escalada de violencia psicológica y verbal el agresor va perdiendo los reparos a maltratar a su pareja; primero no quiere parecer malo a sus ojos, luego la ataca con disimulo y llega un momento en que la agresión es descarada y abierta. Ha perdido todo el respeto por ella; ha traspasado todos los límites.

El trato degradante y cruel que da a su compañera le va llevando a hablar y pensar en ella como en un objeto de su propiedad y, además, un objeto despreciable. De esta manera, oyendo sus propias descalificaciones a la mujer y creyéndolas, se ha acabado de convencer de que tiene derecho a insultarla, amenazarla y pegarla porque ella es, simplemente, una basura.

En privado generalmente, la insulta cruelmente, la nombra de forma despectiva, se burla, la rebaja abiertamente, amenaza con matarla...

Describimos a continuación distintas agresiones que no siempre se dan juntas, pero que son muy frecuentes en el maltrato psicológico.

## Se produce una situación cercana al secuestro

▪ **Él «cerca al enemigo»,** aísla a la mujer rompiendo sus vínculos con el exterior.
▪ **Amigos.** La descalifica y desacredita sutilmente delante de otros, mientras él se muestra encantador con ellos. Sabotea sus conversaciones con la gente, cambiando de tema o burlándose de lo que ella dice. Si ella se encuentra con sus antiguas amistades, él los descalifica sistemáticamente, se muestra celoso o provoca una pelea. Poco a poco, a la mujer se le quitan las ganas de salir con amigos.
▪ **Padres.** Él critica a sus padres y familiares hasta conseguir que deje de verlos. No obstante, cuando se reúne con ellos se muestra encantador y falsamente amable con la mujer.

■ **Trabajo.** Muchos maltratadores prefieren ver a su compañera dependiendo económicamente de ellos, en vez de libres y con su propio trabajo. A medida que avanza el maltrato la mujer se siente peor física y psicológicamente, pide bajas laborales, se empobrece económica y socialmente, pierde oportunidades de ascenso profesional y depende más de su pareja. Él puede intentar incluso convencerla para que deje de trabajar.

■ **Contacto con el exterior.** El maltratador controla cuándo sale ella de casa, las llamadas que hace, si va al médico, etc. A veces la acompaña para vigilarla mejor.

## Él la controla totalmente

■ **Controla las acciones de ella,** le da órdenes, le prohíbe hacer cosas. Dice: «¿Cuántas veces tengo que decirte que no hagas eso?»; «No seas ridícula»; «¡No hay más que hablar!»; «¡Cállate!»; «¡No me hagas reír!»; «Ése es tu problema».

■ **Controla el dinero.** Le da lo justo para los gastos de la casa, domicilia los gastos fijos en la libreta de ella de manera que si la mujer gana su propio sueldo llega sin nada a final de mes, él no le da explicaciones de sus ingresos, la convence para poner a nombre de los dos los bienes patrimoniales de ella.

■ **Controla las relaciones sexuales y el cuerpo de ella.** La fuerza a tener relaciones o se las niega totalmente, la obliga a tipos de relación que a ella no le gustan (anales, con otras personas, etc.), controla la ropa que viste, cómo va peinada, etc.

■ **Tiene el poder sobre los hijos.** A base de insultar y degradar a su mujer consigue que los hijos sepan que la madre es la que chilla y llora, y el padre el que manda. Cuando los niños quieren conseguir algo piden permiso al padre porque saben que la madre es un cero a la izquierda. A veces tratan a la madre igual que lo hace el padre. Éste los predispone en contra de ella.

▦ **Controla el tiempo de ocio.** Ella acaba ocupada todo el día mientras que él puede salir con amigos, ver la tele, jugar con el ordenador, practicar algún deporte o afición... Él elige qué hacer los fines de semana y en vacaciones.

▦ **Invade el espacio de la mujer.** Abre su correo, invade su silencio, su rincón en la casa, interrumpe su sueño.

▦ **Controla sus palabras e intenta controlar sus pensamientos.** Le da permiso para hablar o la manda callarse, le dice cómo debe votar en las elecciones, la ridiculiza si ella tiene una fe que él no comparte, usa elaborados razonamientos para derribar lo que ella afirma.

## Quiere permanecer impune

▦ **Niega su responsabilidad,** responsabiliza a la mujer de sus actos: «Me haces enfadar»; «Me sacas de quicio»; «¡Mira lo que he hecho por tu culpa!»; «No me provoques».

▦ **Niega el abuso:** «Yo nunca he dicho eso»; «Te estás volviendo loca».

▦ **Minimiza la agresión:** «Sólo te he dado un empujón».

## Si acaba la relación

▦ **Continúa el control económico.** No pagando la pensión, llevándola a procedimientos legales costosos para ella, destruyendo los bienes comunes, negándose a mostrar sus ingresos declarándose insolvente, no pagando la manutención de los niños.

▦ **Intenta convencerla para que vuelva con él.** Alternando manifestaciones excesivas de pasión con acoso, insultos, manipulaciones de los niños, amenazas a ella, amenazas de suicidio, etc.

▦ **Manipula a los hijos** en los encuentros de fin de semana, habla mal de la madre, la descalifica y fomenta que los niños le pierdan el respeto. Hace que espíen a la madre. Amenaza con llevárselos, fuerza largas luchas legales por la custodia.

## Significados **ocultos**

Una frase inocente puede tener muchos significados ocultos: «Otros no aguantarían lo que yo te aguanto».

De forma implícita se están dando a entender muchas cosas:
- «Yo soy muy bueno y deberías estar agradecida».
- «Tú eres insoportable y deberías sentirte mal».
- «Puedo dejar de aguantarte».

## ¿Cómo afecta a la mujer este comportamiento?

**Psicológicamente.** No hay una sintomatología común a todas las mujeres maltratadas. De hecho, los síntomas y rasgos que éstas presentan son las secuelas de la victimización sufrida y no corresponden a una patología, sino a las huellas que deja la violencia en todo ser humano; huellas diferentes según la personalidad del agresor que determina su forma de agredir, la personalidad y situación socioeconómica de la víctima, y la respuesta del medio cuando ella pide ayuda.

Tal como hemos venido desarrollando en los capítulos anteriores, a medida que avanza la escalada de violencia cambia el estado de ánimo de la mujer. En medicina forense se sabe que el arma usada deja una huella específica en la piel de la víctima, que permite reconocer el arma por la imagen en negativo que ésta deja. Algo parecido ocurre con la «huella psicológica» de las agresiones en la mujer: a medida que aumenta la intensidad de la violencia se observan en aquélla claras transiciones emocionales. Cada salto en la escalada del maltrato provoca una variación en el estado mental y emocional de la mujer.

En la mayoría de los casos de violencia doméstica se puede ver cómo el agresor utiliza agresión psicológica encubierta, agresión psicológica abierta, control, aislamiento, intimidación y agresión física, sucesivamente. Las diferentes «armas» psicológicas y físicas originan «lesiones psíquicas» características en la víctima. Podríamos hablar de tres grandes huellas psicológicas: depresión, estrés postraumático y, como veremos más adelante, Síndrome de Estocolmo.

La violencia física no tiene necesariamente que causar un trauma más grave que la psicológica. Hay maltratadores que no llegan a dar a la mujer ni una bofetada pero la inducen al suicidio, no le tocan ni un pelo pero consiguen que viva en el terror. Veremos en capítulos posteriores cómo la personalidad del maltratador determina su forma de maltratar.

Además del tipo o nivel de maltrato dependiente de la personalidad del agresor, en las secuelas psicológicas que sufre la víctima influyen la personalidad y la situación socioeconómica de la mujer. Si, por ejemplo, ésta ha sufrido anteriores victimizaciones con la familia de origen o con otras parejas, su capacidad de respuesta va a estar muy disminuida, va a ser mucho más frágil y puede arrastrar un aprendizaje de sumisión y dependencia que dificulte todavía más su separación de la pareja. Si ella tiene una profesión de la que puede vivir o una buena situación económica, es mucho más fácil que escape del vínculo violento.

Y, por supuesto, en el estado psicológico de la mujer influye la respuesta del medio, cuando pide ayuda. Si se encuentra con un médico que no quiere preguntar sobre la causa de las lesiones, si alguien le recomienda no denunciar, si sus padres se avergüenzan de ella y se ponen a favor del maltratador, si denuncia pero el caso se archiva o si queda en una pequeña multa... ella va a tener muy difícil la lucha por la supervivencia.

## ¿QUÉ ES EL ESTRÉS POSTRAUMÁTICO?

Ella está angustiada, se da cuenta de que él la trata con crueldad. Tiembla cuando suena el timbre. No duerme bien. En la
calle está atemorizada. Se comporta como si él la vigilara siempre y evita hacer lo que él no quiere aunque no esté presente.
Poco a poco la mujer maltratada se acostumbra a vivir en el
terror. De repente, y cada vez con más frecuencia, le parece
estar reviviendo la última paliza, insulto o amenaza.

Tiene pesadillas y recuerdos horribles. Intenta evitar el contacto con objetos, lugares o personas que le recuerdan el maltrato.
Se sobresalta y se siente muy mal cuando algo sucede sin previo
aviso. Está siempre a la defensiva, esperando que suceda algo
malo. Casi siempre tiene la sensación de estar en peligro.

Le cuesta mucho trabajo confiar en la gente o acercarse a otras
personas. Se enoja con facilidad. Siente que no le importa
nadie y que no puede confiar en nadie.

Le cuesta trabajo dormir, está muy tensa. No puede cumplir
con sus actividades cotidianas y vivir una vida normal. No puede concentrarse. Piensa en el suicidio.

La persona que se siente así puede estar sufriendo de estrés
postraumático. Este trastorno es la consecuencia de haber vivido un trauma que amenaza la integridad de la persona. Si se
trata de un acontecimiento puntual como un accidente, un
terremoto, etc., puede no necesitar tratamiento; al cabo de
un tiempo el estado anímico suele mejorar por sí solo. Si los
síntomas son muy intensos o duran mucho puede tratarse con
medicamentos y terapia. En este caso hablaremos de «estrés
postraumático crónico».

Se puede sufrir estrés postraumático después de:

- Ser víctima de una violación o abuso sexual.
- Ser golpeado o herido por un miembro de la familia.
- Ser víctima de un crimen violento.
- Estar en un accidente aéreo o automovilístico.
- Un huracán, tornado o incendio.

- Estar en una guerra.
- Estar en una situación en la que se pensó que la iban a matar.
- O después de haber presenciado cualquiera de los acontecimientos anteriores.

Es normal que el primer mes después del acontecimiento traumático se esté afectado, pero si ya han transcurrido varios meses y la persona no se ha recuperado podemos empezar a plantearnos que se haya desarrollado un estrés postraumático.

Algunos individuos no perciben los síntomas claramente hasta años después de ocurrido el trauma. Por ejemplo, es relativamente frecuente que después de una violación la mujer encapsule el recuerdo y apenas sepa qué sucedió; sólo años después, ante un desencadenante específico, afloran los recuerdos y se manifiesta toda una sintomatología florida.

Entre los expertos en violencia de género en el ámbito doméstico, se acepta ampliamente que depresión y estrés postraumático son las secuelas más comunes del maltrato:

«La depresión y el estrés postraumático, que presentan entre sí una alta correlación, son las secuelas psicológicas más frecuentes de la violencia de la pareja. En un meta-análisis comprensivo de los principales estudios realizados en Estados Unidos, Golding mostró que el riesgo de depresión y estrés postraumático asociado a la violencia de la pareja, era incluso mayor que el resultante del abuso sexual en la infancia». «El estrés postraumático ha sido ampliamente estudiado en Estados Unidos como una secuela de la violencia de pareja; la prevalencia entre mujeres maltratadas es mucho mayor (se estima que 3,74 veces más) que entre mujeres no maltratadas».

Jacquelyn C. Campbell,[2] Johns Hopkins
University School of Nursing

# La palabra «**histeria**»

Cuando una mujer maltratada se muestra asustada, llorosa, paralizada por el terror dando explicaciones inconexas, gritando, temblando, etc., algunas personas la califican de «histérica». Muchos hombres sexistas aplican este término a las mujeres que se exaltan o, según ellos, que quieren llamar la atención.

La palabra «histeria» proviene del griego «hystéra» y significa 'matriz'; por tanto, «propio de mujeres». En época de Freud se creía que los hombres no se comportaban así.

A raíz de la guerra de Vietnam se observó que los excombatientes presentaban sintomatología histérica. Considerando que era indigno llamar «histéricos» a los héroes de la patria, y viendo que en realidad dicha sintomatología provenía de una vivencia traumática, se eliminó la denominación «histeria» del DSM[3] y se desglosó en nuevos diagnósticos psiquiátricos:

- **Estrés postraumático.**
- **Conversión.** Aparición de síntomas físicos, parálisis y anestesias sin una patología física que los justifique, causados en realidad por  sentimientos no satisfactorios originados por los problemas y conflictos que el enfermo no puede resolver.
- **Somatización.** Al individuo no se le encuentra ninguna patología real y, sin embargo, hace una demanda persistente de atención médica por síntomas físicos  que provocan un deterioro significativo social, laboral o de otras áreas de la actividad. Dichos síntomas se presentan en diferentes zonas del cuerpo, aunque suelen ser gastrointestinales, ginecológico-sexuales y pseudoneurológicos.
- **Trastornos disociativos.** La amnesia disociativa es una pérdida de memoria sobre hechos recientes traumáticos, no debida a un trastorno mental orgánico y demasiado intensa como para ser explicada por un olvido ordinario o por cansancio. El estupor disociativo es una disminución profunda o ausencia de la motilidad voluntaria y  respuesta normal a los estímulos externos. El individuo permanece inmóvil, sin hablar, durante largos períodos de tiempo, pero con evidencia de una génesis psicógena, tal como  un acontecimiento biográfico estresante reciente.

Gracias a los excombatientes de  Vietnam las mujeres maltratadas ya no son calificadas de histéricas y disponen de un criterio diagnóstico muy útil en los juicios de malos tratos. Cuando en un peritaje forense se concluye que la mujer maltratada sufre estrés postraumático, se está admitiendo que su estado mental no es casual ni debido a la locura, sino originado por un trauma, es decir, que puede ser muy bien la secuela psicológica de las agresiones de su pareja.

Otros trastornos psicológicos provocados muchas veces por los malos tratos son la fatiga crónica, los trastornos de los hábitos alimentarios y los abusos de sustancias como el alcohol, los psicofármacos, etc.

Según la OMS, en un estudio en León (Nicaragua), los investigadores determinaron que las mujeres que experimentaron maltrato tenían seis veces más probabilidad de sufrir trastornos mentales que las mujeres que no sufrieron malos tratos. En Estados Unidos, las mujeres maltratadas por su pareja tienen entre cuatro y cinco veces más probabilidad de necesitar tratamiento psiquiátrico que las mujeres que no sufrieron maltrato.

## ¿Estoy yo **en ese ciclo?**

Mucha gente lo está. El abuso es un problema de igualdad de oportunidades y de lucha por el poder y el control de la pareja; cualquiera puede caer en él. He aquí un cuestionario que te puede ayudar a clarificar tu situación:

1. ¿Tienes miedo de tu pareja?
2. ¿Sientes con frecuencia que debes tener un tacto exquisito para evitar que tu pareja se enfade?
3. ¿Alguna vez te ha pegado o empujado?
4. ¿Tu pareja se comporta bien contigo la mayor parte del tiempo, pero de vez en cuando actúa con crueldad o perversión?
5. ¿Alguna vez has pensado que tu pareja te va a matar?
6. ¿Alguna vez te ha dicho tu pareja que te va a matar?
7. ¿Alguna vez te ha amenazado tu pareja con el suicidio?
8. ¿Has sido forzada por tu pareja a hacer alguna cosa que no querías hacer?
9. ¿Has perdido casi todos tus amigos desde que estás con tu pareja?
10. ¿Te sientes como si de cara a la galería tuvieras que fingir que todo va bien, aunque realmente no sea así?

**Físicamente.** Según la OMS, algunas de las consecuencias físicas más frecuentes del maltrato en la mujer son:

■ **Homicidio.** La mayoría de las mujeres que mueren de homicidio son asesinadas por su compañero actual o anterior. Un estudio de 249 expedientes de los tribunales de Zimbawe reveló que 59 % de los homicidios de mujeres fueron cometidos por la pareja de la víctima.

■ **Lesiones graves.** Las investigaciones en Camboya determinaron que 50 % de todas las mujeres que notificaron haber sido maltratadas habían sufrido lesiones. La encuesta nacional de Canadá sobre la violencia contra la mujer reveló que el 45 % de los incidentes de agresión conyugal produjeron lesiones, y de las mujeres lesionadas, el 40 % fueron atendidas por un médico o una enfermera.

La violencia doméstica tiene un profundo impacto en el sistema de salud. Las víctimas buscan refugio en servicios de urgencia, áreas básicas y especialidades médicas. Se estima que cada médico o profesional sanitario de esas áreas ve por lo menos una víctima de la violencia doméstica cada día.

■ Aproximadamente un 28 % de las mujeres vistas en ambulatorios han sido maltratadas en algún momento, y un 14 % lo son con frecuencia.

■ El 15 % de todas las visitas de mujeres a servicios de urgencias pueden ser atribuidas a violencia doméstica.

■ **Lesiones durante el embarazo.** En un estudio realizado durante tres años a 1.203 mujeres embarazadas en los hospitales en Houston y Boston, en Estados Unidos, el maltrato durante el embarazo fue un factor significativo de riesgo de bajo peso al nacer, poco aumento de peso materno, infecciones y anemia.

■ **Embarazo no deseado y a temprana edad.** Algunas mujeres pueden tener miedo de plantear el uso de métodos anticonceptivos a sus parejas por temor a ser golpeadas o abandonadas.

▓ **Vulnerabilidad a las enfermedades.** El dolor pélvico crónico está asociado significativamente a una historia de violencia en el hogar. Un estudio realizado en Estados Unidos determinó que haber sido víctima de maltrato o de delitos violentos en la niñez duplica la probabilidad de que una mujer padezca problemas menstruales graves, enfermedades de transmisión sexual o infección de las vías urinarias; la violencia en el hogar triplicaba su probabilidad. El estrés producido por el maltrato repercute en una disminución de la inmunidad según las últimas investigaciones.

▓ **Suicidio.** Las investigaciones en Estados Unidos indican que la mujer maltratada, comparada con la mujer que no vive con un hombre violento, tiene cinco veces más probabilidad de suicidarse.

▓ **Aumenta el riesgo de mala salud.** Bajan las defensas, aparecen diversas somatizaciones, empeoran enfermedades previas, etc.

## Repercusión en la economía de los países.

▓ **En el trabajo.** En un informe canadiense sobre violencia contra la mujer, el 30 % de los incidentes notificados de agresión a las esposas llevaron a quitar tiempo de las actividades regulares, y el 50 % de las mujeres que fueron lesionadas tuvieron que pedir la baja laboral.

La violencia del esposo intimida y debilita a la mujer en sus aspiraciones de progreso laboral, impidiéndoles avanzar en su trabajo. Una estrategia de desarrollo en Madrás, India, casi se desintegró cuando las mujeres empezaron a desertar debido al creciente número de palizas de sus esposos, después que las mujeres habían ingresado en el proyecto.

■ **En sanidad.** La violencia doméstica tiene un profundo impacto en el sistema de salud. Las víctimas buscan refugio en servicios de urgencia, áreas básicas y especialidades médicas. Se estima que cada médico o profesional sanitario de esas áreas ve, por lo menos, una víctima de violencia doméstica cada día.

Aproximadamente un 28 % de las mujeres vistas en ambulatorios han sido maltratadas en algún momento y un 14 % lo son con frecuencia.

El 15 % de todas las visitas de mujeres hechas a servicios de urgencias pueden ser atribuidas, sin duda, a la violencia doméstica.

Considerando solamente la salud, los costes sociales de la violencia contra la mujer son extraordinarios. Un estudio en Estados Unidos reveló que la atención ambulatoria para las mujeres con historia de agresión sexual o física costó dos veces y media más que la atención a otras mujeres, después de controlar otras variables. Los problemas psicológicos derivados de la violencia doméstica que se tratan con psicoterapia y psicofármacos cuestan más que la atención a las lesiones físicas graves.

■ **En justicia y servicios sociales.** Hay costes indirectos como los originados por la policía, los tribunales y los servicios jurídicos, los programas de tratamiento para los agresores, los servicios sociales (como los servicios de protección del menor), casa de acogida, etc.

## Agresiones sexuales

La mujer violada por su marido suele pensar que es mejor no decir nada porque él tiene derecho a «hacer uso del matrimonio»; sin embargo, aunque resulta difícil de probar es un verdadero delito y ella puede y debe denunciarlo.

Las agresiones sexuales son una variante más de la violencia de género. El nivel de tolerancia social en este ámbito es tan grande que a veces es difícil distinguir lo que es un delito de lo que no lo es. Hace muy poco, en España todavía se creía que las mujeres debían aceptar las relaciones sexuales con su marido aunque a ellas no les apeteciera. No se consideraba un delito de violación del marido, sino una obligación de la esposa.

«Recientemente, muchos países han empezado a reconocer **la violación dentro del matrimonio** como una ofensa criminal, aunque algunos afirman que la violación no existe entre marido y mujer. El término 'violación' se define a grandes rasgos como 'relaciones sexuales no consensuadas mediante el uso de la fuerza física, amenazas o intimidación, incluyendo aquéllas entre marido y mujer'. Sin embargo, reconocer la violación marital no sólo como un crimen, sino como una violación de los Derechos Humanos se complica por la concepción del hogar como una esfera privada. Tan sólo recientemente esta dicotomía público-privado (teniendo como ejemplo más íntimo las relaciones maritales) ha sido discutida».

«Informe especial sobre violencia contra las mujeres»
Comisión de Derechos Humanos de las Naciones Unidas, 1996

«La violación marital conlleva gran variedad de secuelas físicas y emocionales»
Bergen, 1999

## Secuelas psicológicas de las agresiones sexuales.

Las agresiones sexuales tienen graves repercusiones mentales. Se suele producir en primer lugar un estado de shock y negación del trauma que puede ser de corta duración (de minutos a días), o de larga duración (**encapsulamiento** disociativo de la memoria traumática). Estos son mecanismos de supervivencia inconscientes y espontáneos. La amnesia o la negación de lo ocurrido permite a la víctima afrontar «el día siguiente». La experiencia de la agresión es tan dura que muchas veces la mujer «aparca» el recuerdo intentando vivir como si nada hubiera pasado. Se siente herida física y psicológicamente, se siente sucia y avergonzada, sabe que la sociedad va a cargar en ella la responsabilidad de la agresión y decide callarse para no complicar más las cosas.

## Evolución temporal de las secuelas: «enquistamiento psíquico»

Durante una primera fase después de la agresión, la mujer suele «encapsular» inconscientemente el recuerdo del trauma para poder sobrevivir, pero pasado un tiempo que, como media es de tres años, sufre una crisis en la que reaparecen síntomas de trastornos psicosexuales y malestar psíquico:

- Antes de los tres años después del trauma el 25 % de las mujeres presenta secuelas psicosexuales. Después de los tres años el 70 % de las mujeres las padecen. Son, por lo tanto, un tipo de secuela de desarrollo a largo plazo, a diferencia del estrés postraumático, que suele cerrar su ciclo más rápidamente.
- En los tres primeros años sólo un 25 % de las mujeres se reconoce psíquicamente mal o regular. A partir de los tres años se invierte la relación, siendo un 65 % las que se encuentran psicológicamente mal.

En la mayoría de las mujeres de la muestra se produjo, por tanto, un «enquistamiento psíquico» del recuerdo y una negación inconsciente de lo sucedido. Durante un tiempo la víctima intenta vivir como si «aquello» no hubiera sucedido, pero tal como se ve aquí, a los tres años de acabada la agresión la mujer suele reconocer que aún hay heridas psíquicas abiertas.

Consuelo Barea, «Estudio sobre las características de las agresiones sexuales y sus secuelas» para la Diputación de Barcelona, 1999. AADAS (Asociación de Asistencia a Mujeres Agredidas Sexualmente)

Cuando aparecen abiertamente las secuelas psicológicas del trauma suele darse primero el *estrés postraumático*, del que hemos hablado también para los malos tratos físicos y psicológicos. Se trata de una fase aguda que puede cronificarse, sobre todo si las agresiones continúan. Otra secuela muy común es la *depresión*. Si ha habido encapsulamiento de la memoria traumática, el estrés postraumático o la depresión pueden aparecer años después, de forma diferida. Se desencadena el recuerdo a partir de detonantes relativos al trauma o de sueños.

En ocasiones se derivan de las agresiones sexuales conductas autodestructivas: autolesiones, suicidios, trastornos de la alimentación, adicciones y prostitución.

Aparecen también en la víctima las llamadas «secuelas específicas sexuales» o *«trastornos psicosexuales» (TPS)*: una amplia gama de conductas y/o vivencias subjetivas que impiden llevar una vida sexual plena y satisfactoria. Estos trastornos también pueden sufrir un periodo de encapsulamiento.

Los trastornos psicosexuales pueden ser de la vivencia de la propia imagen, de la vivencia de lo masculino o de situaciones externas sexuales, y de la propia sexualidad.

## Tipos de TPS
### TRASTORNOS DE LA VIVENCIA DE LA PROPIA IMAGEN

- **Vestir ropa muy holgada y oscura.** La mujer oculta su cuerpo en una especie de saco oscuro, evitando que los hombres puedan mirarla y sentir deseo.
- **Temer ser mirada por un hombre.** Evitan situaciones en las que tengan que pasar por delante de hombres que puedan mirarlas.
- **Temer mirar o tocar el propio cuerpo.** No se atreven a ponerse desnudas delante del espejo, ni a tocar sus genitales o mirarlos.
- **Considerar su cuerpo sucio o desagradable.** Se sienten avergonzadas de su propio cuerpo, lo sienten sucio y desprecia-

ble, les gustaría «deshacerse de él» (esto les puede llevar al suicidio o autolesiones).

## TRASTORNOS DE LA VIVENCIA DE LO MASCULINO O DE SITUACIONES EXTERNAS SEXUALES

- **Desconfianza hacia cualquier varón y búsqueda de protección en mujeres.** Sospechas injustificadas de intenciones de abuso en conocidos. Generalizan la sensación de amenaza a hombres distintos del agresor. Ven como potencialmente peligrosos a todos los varones; piensan que en la situación adecuada todos son violadores.
- **Temor a estar cerca de los hombres.** Se alejan físicamente de la cercanía masculina; por ejemplo, no cogen el ascensor si van solas con un hombre.
- **Incomodidad al ver escenas sexuales en cine o televisión.** Se sienten avergonzadas, cambian de canal o se van a otro sitio cuando hay una escena sexual en televisión.

## TRASTORNOS DE LA PROPIA SEXUALIDAD

- **Ausencia o dificultad de sentir deseo sexual.** No sienten ninguna necesidad de tener relaciones sexuales, afirman poder vivir perfectamente sin ellas. No identifican estímulos sexuales que las atraigan.
- **Ausencia o dificultad de excitación sexual.** No hay una respuesta de excitación sexual cuando tienen relaciones, es decir, no se humedece la vulva y no se hinchan los labios.
- **Miedo a la penetración.** Vaginismo, la vagina está tan contraída que el pene no puede penetrar, se produce un dolor intenso (el vaginismo puede ser normal cuando la mujer es virgen, en las primeras relaciones la vagina suele estar contraída).
- **Ausencia o dificultad de satisfacción sexual.** La mujer no llega al orgasmo o sólo consigue uno muy pequeño. Largas excitaciones no consiguen culminar en un clímax sexual suficiente, dejando frustrada y estresada a la mujer.

## Denuncias

■ **Cuanto más grave es la agresión menos se denuncia.** En las agresiones muy graves o severas denuncia un 10 % de las mujeres. En los casos moderados o menos graves denuncia el 92 %. Necesitan mucho más apoyo psicoterapéutico los casos en los que no se denuncia, precisamente porque suelen ser los más graves.

■ **Se denuncia menos si** hay relación de parentesco entre víctima y agresor. Sólo denuncian al padre o familiar varón el 6 % de las víctimas. En cambio, si se trata de agresores desconocidos o conocidos pero no de confianza, las denuncias pasan al 83 %.

Consuelo Barea, «Estudio sobre las características de las agresiones sexuales y sus secuelas» para la Diputación de Barcelona, 1999

## La mujer denuncia poco porque no suele ser creída

■ «Las víctimas en general se muestran reticentes a denunciar los hechos cuando éstos no encajan en lo que sería una situación estereotípica de agresión sexual».[5]

■ «Los únicos factores que parecen incrementar la probabilidad de denuncia son la existencia de lesiones físicas (generalmente graves) y el uso de algún tipo de arma por parte del agresor».[6]

■ «Los hombres son los que más tienden a culpabilizar a la víctima».[7]

■ «La sociedad tiende a culpar en menor medida a las víctimas masculinas que a las femeninas».[8]

Según el FBI, menos del 2 % de las denuncias de violación son falsas. El poder masculino ha creado el mito de que la violación es una acusación fácil de hacer para socavar la credibilidad de las mujeres y mantener acalladas las acusaciones.

# ¿Cuál es el retrato robot de la víctima?

La sociedad tiende a poner el centro de gravedad de la violencia contra la mujer en la misma mujer, con la misma actitud sexista del maltratador que dice: «Es que está loca»; «Es una histérica», «Ella me provoca». Las secuelas de los malos tratos (depresión, angustia, inseguridad, baja autoestima, dependencia) son interpretadas por gran parte de la sociedad como demostración de que ella tiene una personalidad previa enfermiza y está «mal de los nervios», cuando en realidad este comportamiento es casi siempre consecuencia de los malos tratos vividos. Se tiende a pensar: «Algo habrá hecho ella para que la traten así» o «Algo malo debe tener en su forma de ser»; en cambio, del agresor enseguida se dicen cosas como «Tiene que estar loco para hacer eso»; «¡Si es un chico tranquilo y buena persona!».

La sociedad es cómplice del maltratador y busca un «retrato robot» de la mujer maltratada como buscando una predisposición previa en algunas mujeres. Se trata de intentar demostrar que algunas son «carne de cañón» para los malos tratos, o incluso que buscan ese tipo de situaciones casi a propósito.

Si la mujer ha vivido malos tratos previos o abusos sexuales, y no ha recibido una *terapia adecuada* que la recupere en su dignidad como ser humano y como mujer, acaba creyendo que es normal ser tratada de esa manera; piensa que el amor significa dependencia y sumisión al varón; está convencida de que éste tiene derecho a tratarla mal. Más que de personalidad previa habría que hablar de «victimización previa» como factor que predispone a los malos tratos.

Exceptuando los casos en que se han recibido malos tratos anteriores, no existe un retrato robot de la víctima de la violencia de género, ni hay un tipo de mujer predispuesto a serlo, de la misma forma que no existe ningún tipo de persona predispuesto a sufrir el Síndrome de Estocolmo. Cualquier persona sometida a un largo proceso de descalificaciones, críticas, insultos y agresiones físicas o sexuales, sea hombre o mujer, acaba desarrollando una sintomatología parecida: estrés postraumático, depresiones, «Síndrome de Cenicienta y Supermán», etc.

Múltiples trabajos de investigación en muchos países coinciden en concluir que cualquier mujer, independientemente de su nivel cultural, económico, edad o raza, puede llegar a desarrollar las secuelas propias del maltrato si se la somete a un trato degradante continuado. No es ella quien crea el problema, sino el agresor. Es en él en quien hay que poner el énfasis.

Hay seudoinvestigaciones que presentan como perfil de la mujer maltratada los datos demográficos obtenidos en una muestra relativamente pequeña o no representativa de la verdadera población de mujeres que sufren malos tratos. En ese caso, puede parecer que predominan las mujeres con poca cultura o los niveles socioeconómicos bajos. Sin embargo, cuando los grandes organismos internacionales o los estados se han interesado en obtener unos datos fiables, siempre se ha obtenido el mismo resultado. Hay mujeres maltratadas, al igual que maltratadores, en todos los estratos de la sociedad.

El largo lavado de cerebro a que se ve sometida la víctima de la violencia doméstica crea en ella la sensación de que el compañero agresor es un «superhombre» y que ella, en cambio, no vale nada; le justifica y muchas veces retira las denuncias. Estos comportamientos no tienen que hacernos pensar que «ella se lo busca», sino movernos a darle apoyo psicológico y jurídico desde el exterior, igual que haríamos con un niño maltratado, un anciano o una persona secuestrada que se identifica con el secuestrador. Esto no significa que la mujer esté loca o incapacitada definitivamente, sino que está sufriendo las secuelas de un delito.

El agresor se atreve a agredir más cuando:

- **Se siente impune** porque ella está es una situación de gran fragilidad o dependencia. Hay más malos tratos cuando la mujer está embarazada, cuando es minusválida o cuando es inmigrante.

- **Ve que la mujer se le escapa.** Cree que ella no tiene derecho a independizarse de él. La separación o el divorcio aumentan el riesgo de la mujer de sufrir lesiones o morir a causa de los malos tratos.
- **Hay diferencias** marcadas entre los dos:
    - Si ella tiene un estatus laboral muy superior o inferior al del hombre.
    - Si es una unión interracial o interreligiosa.
    - Si hay una disparidad notable de edad entre ella y su compañero.

# Los hijos
# del maltrato

Si estás siendo maltratada por tu pareja es posible que tus hijos también sufran los malos tratos, directamente o sólo como testigos de las peleas; aunque no estén presentes tus hijos se enteran de todo. Observa su comportamiento en casa y en la escuela, habla con su tutora o tutor. Piensa honestamente si tratas igual a tus hijas y a tus hijos. Hazles caso si te dicen que un adulto les toca, investiga lo que sucede.

En este capítulo veremos:

▨ Los hijos del maltrato
▨ ¿Qué efectos tienen los malos tratos en los niños?
▨ Abuso sexual a menores en el hogar
▨ Maltrato a ancianos

## Los hijos del maltrato

El conocimiento e interés científico por los malos tratos a niños comienza en el año 1961 cuando el radiólogo norteamericano Henri Kempe describe ciertas lesiones óseas cuya causa atribuye a malos tratos, estableciendo el concepto de «Síndrome del niño golpeado». Actualmente entendemos por «malos tratos a los niños»: 'Toda acción, omisión o trato negligente, no accidental, que prive al niño de sus derechos y su bienestar, que amenace o interfiera su desarrollo físico, psíquico y/o social, cuyos autores pueden ser personas, instituciones o grupo social'.[9] (J. Calvo Rosales, J.R. Calvo Fernández).

El término «malos tratos a la infancia» comprende:

- **Maltrato físico,** en sus diversas modalidades.
- **Maltrato sexual** (inducción a la prostitución, violación, pornografía, etc.).
- **Negligencia** (baja estimulación, pobre nutrición, inseguridad, suciedad, etc.).

El maltratador infantil es prioritariamente hombre según todos los estudios. El hombre que maltrata suele considerar que mujer e hijos son sus posesiones y que tiene derecho a pegarles o insultarles.

- Se estima que el 70 % de los hombres que maltratan a sus parejas también maltratan a sus hijos.[10]
- Los hombres que pegan a sus parejas es probable que maltraten a sus hijos.[11]
- Los niños resultan agredidos cuando intervienen intentando proteger a sus madres de la violencia paterna.[12]
- Cuanto más severo es el maltrato a la madre, más severo es el maltrato al hijo.[13]

La madre atemorizada puede no dar una atención empática suficiente al niño. Esto se puede traducir en trastornos de la alimentación, lloros excesivos, interrupciones del sueño y retrasos del desarrollo del bebé. Cuando la mujer maltrata al hijo es muy probable que su compañero la esté maltratando a ella.

- **Es ocho veces** más probable que las madres maltraten a sus hijos cuando están conviviendo con el maltratador que cuando lo han dejado.[14]

La mejor forma de proteger al niño es proteger a la madre.

▦ **En muchos casos,** el maltrato del niño acaba cuando se saca al niño del ambiente del maltratador y se le deja exclusivamente con la madre.[15]

Los niños que ven cómo el padre trata a la madre acaban pensando que es normal tratarla así y reproducen el modelo de comportamiento paterno.

▦ **Después de los 5 ó 6 años,** algunos niños pueden perder el respeto a la víctima porque la ven como más débil y se identifican con el maltratador.[16]

Muchas mujeres maltratadas se engañan pensando que si sus hijos no reciben los golpes directamente no son niños maltratados, o bien que si ellos están en su cuarto durante las peleas no se enteran de lo que pasa. El niño que es testigo de la violencia también es un niño maltratado y sólo oír los gritos ya le hace sufrir.

▦ **Frecuentemente**, los niños son testigos de la violencia doméstica por estar presentes en la misma habitación o por oír lo que sucede.[17]

▦ **Aunque muchos padres** creen que pueden esconder la violencia doméstica a sus hijos, entre el 80 % y el 90 % de los niños de estos hogares relatan ser conscientes de la violencia.[18]

▦ **Los niños testigos** de la violencia doméstica padecen muchos de los síntomas que tienen los niños que han sido maltratados física o sexualmente: trastornos psicosomáticos, psicológicos, conductuales, etc.[19]

▦ **El estudio de León** (Nicaragua) informó que los niños que habían presenciado regularmente cómo sus madres eran golpeadas o humilladas, comparados con otros niños, tenían al menos cinco veces más probabilidades de experimentar graves dificultades emocionales y de conducta.[20]

■ **Los niños** testigos de la violencia doméstica tienen mayor probabilidad de ser violentos de adultos con sus compañeras. Acaban pensando que es aceptable que un hombre pegue a una mujer. Se transforman así en futuros maltratadores. En un estudio que comparó a jóvenes delincuentes con jóvenes que no lo eran, se encontró que la diferencia fundamental entre ambos grupos era tener o no una familia de origen violenta o una historia previa de malos tratos.[21]

■ **Las niñas de hogares** violentos aceptan la violencia como parte normal del matrimonio, más que las niñas de hogares no violentos.

## ¿Qué efectos tienen los malos tratos en los niños?

La mujer maltratada puede preguntarse si sus hijos están afectados por la violencia que hay en el hogar. Hay una serie de actitudes y comportamientos indicativos del sufrimiento de los hijos que la misma madre puede detectar. Es conveniente que en estos casos se consulte con algún profesional que oriente a la madre y pueda tratar a los niños; se puede hablar con el tutor o el psicólogo de la escuela, con el pediatra o con un psicólogo infantil.

Los efectos del maltrato en la psicología y la conducta del niño pueden ser:

■ **Problemas cognitivos y conductuales.** Estos niños tienen pocos recursos en resolución de conflictos, les cuesta concentrarse y pueden ser pasivos o agresivos. Se pueden mostrar muy dependientes o hiperactivos. Algunos pueden desarrollar una falta de respeto por las normas y la disciplina. Presentan conductas antisociales, fugas, vandalismo, pequeños hurtos. Pueden tener dificultad para empatizar, falta de conciencia de sus propios límites y de los ajenos, y dificultad en el control de los impulsos.

- **Retrasos del desarrollo.** Retraso en el desarrollo físico, emocional o intelectual. Dificultades con la alimentación (glotonería o pérdida apetito).

- **Síntomas de estrés y somatizaciones.** Dolores abdominales, de cabeza, tartamudeo, enuresis, insomnio, pesadillas, estrés postraumático, depresión, conductas autodestructivas.

- **Aislamiento.** Los niños pueden temer llevar amigos a casa. Retraimiento.

- **Culpabilidad y responsabilidad por el maltrato.** Intentan entonces tener contento al maltratador y confortar a su madre. Cuando esto ocurre los niños asumen un papel de cuidadores, e incluso un rol de esposa sustituta.

- **Bajo rendimiento escolar.** Debido a todo lo descrito anteriormente no es extraño que estos niños tengan dificultad para seguir los estudios. Un niño muy nervioso puede ser incapaz de aprender a leer. Tiene pocos amigos/as en la escuela. Muestra poco interés y motivación por las tareas escolares. Falta a clase reiteradamente sin justificación.

- **Regresiones conductuales** (conductas infantiles para su edad).

- **Conducta sexual explícita,** juego y conocimientos inapropiados para su edad.

- **Evita ir a casa** (permanece más tiempo de lo normal en el colegio, recreo...). Actitud de alerta recelosa.

▪ **Después del fin de semana vuelve peor al colegio** (triste, nervioso, sucio...).

▪ **Efectos a largo plazo.** Los niños que experimentan o presencian violencia en su hogar tienen un riesgo mayor de ser maltratadores con su pareja. Acaban pensando que es aceptable que un hombre pegue a su mujer. Se vuelven sexistas y violentos.

**Maltrato a la niña.** Si el lenguaje no fuera sexista cuando hablamos de niños maltratados tendríamos que hablar de «niñas maltratadas». Hay muchas más niñas maltratadas, de todas las formas imaginables, que niños, pero como el femenino no es inclusivo hemos de hablar en masculino. Los informes de la OMS[22] corroboran año a año, de manera inexorable, que la víctima infantil por excelencia de malos tratos y abusos es la niña.

Para millones de niñas en todo el mundo la realidad es muy diferente. La violencia contra la niña incluye maltrato físico, psicológico y sexual, explotación sexual comercial en forma de pornografía y prostitución, y prácticas perniciosas como la preferencia por un hijo varón y la mutilación genital femenina.

En la mayoría de las sociedades se asigna mayor valor a los hijos varones. La selección prenatal del sexo puede ocasionar un número desproporcionado de abortos de fetos femeninos en comparación con los fetos masculinos. Después del nacimiento, en las familias donde la demanda de hijos varones es más elevada, se puede practicar el infanticidio de los lactantes del sexo femenino.

La preferencia por un hijo varón se puede manifestar en otras prácticas discriminatorias contra la niña:

▪ Descuido de las niñas más que del varón, cuando están enfermas.
▪ Alimentación diferenciada de niñas y niños.

- Una carga desproporcionada de tareas domésticas para las niñas, desde una edad muy temprana.
- Menor acceso a la educación para las niñas que para sus hermanos.

## Abuso sexual a menores en el hogar

Los abusos sexuales a menores se dan prioritariamente en el ámbito doméstico y se fundamentan en el pacto de secreto que el abusador exige al niño. Pueden coexistir o no con malos tratos a la madre, aunque muchas veces son una forma más de intimidación a ésta. Según la OMS:

- **El incesto es perpetrado** con mayor frecuencia por el padre, el padrastro, el abuelo, el tío, el hermano u otro hombre de confianza en el seno familiar.

- **En un estudio** realizado a 1.193 estudiantes de noveno grado, aleatoriamente seleccionados en Ginebra (Suiza), el 20 % de las niñas y el 3 % de los niños informaron haber vivido por lo menos un incidente de abuso sexual con contacto físico.

- **Es común que** la atención se centre en la pedofilia comercializada, la cual aunque es importante, distrae la atención del problema más generalizado del incesto y el maltrato sexual.

«El incesto es una forma de violencia sexual primariamente dirigida a las niñas por varones adultos; el 92 % de las víctimas son niñas y el 97 % de los abusadores son varones».[23]

Tal como se ha citado anteriormente, en 1999 se realizó en AADAS un estudio de la relación entre las características de la agresión sexual y las secuelas. Las 43 mujeres de la muestra tenían una media de edad de 29,4 años. El 24 % tenían una relación estable y el 37 % tenían un nivel académico universitario o post-universitario.

Resultados muy impactantes de esta investigación fueron:

▓ Aproximadamente la mitad de las agresiones se habían cometido cuando la víctima era menor de edad.

▓ El 92 % de los agresores sexuales de niñas menores de diez años son sus padres u otros familiares varones. Estos abusos suelen ser de larga duración (meses o años) y desencadenan unas secuelas psicológicas graves en la mayoría de los casos; por ejemplo, trastornos psicosexuales (anomalías y trastornos en la posterior vivencia y conducta sexual) en un 81 % de casos.

▓ Sólo denuncian al padre o familiar varón el 6 % de las víctimas. En cambio, si se trata de agresores desconocidos o sin confianza, las denuncias pasan al 83 %.

Hay que empezar a desechar el tópico de que el peligro de abusos sexuales a los niños proviene de un desconocido que les ofrece caramelos por la calle. El principal peligro está en el hogar y suele quedar impune aunque sus consecuencias son muy graves.

En la población de mujeres agredidas sexualmente un 50 % habían sido abusadas cuando eran menores y la mayoría de ellas por el padre u otro varón familiar. Pero en la población general, ¿qué porcentaje de niñas sufre situaciones incestuosas?

El jefe de la unidad de paidopsiquiatría del Hospital de la Vall d' Hebron de Barcelona, Josep Tomàs Vilaltella dice (noticia aparecida en *El Periódico*):

▓ **Entre el 10 % y el 33 % de las niñas** soportan situaciones incestuosas de sus padres, ya sean consumadas o imaginadas por éstos. Estas actuaciones son más habituales de lo que se cree, «pero se llevan a cabo de forma silenciosa y a escondidas».

■ **El incesto tiene lugar** cuando existe una relación sexual con penetración entre padre e hija, hermano y hermana, o madre e hijo, aunque se engloba en esta conducta a «todas aquellas en donde la fantasía y la imaginación hacen presumir un deseo de realización sexual completa, aunque no se haya realizado».

■ **Si en una relación afectiva** entre un padre y su hija «hay intencionalidad de dar u obtener placer sexual» se produce el incesto. El 75 % de los abusos se producen entre padre e hija, y sólo se conocen menos del 2 % de los casos. Sólo un 1 % de los incestos llegan a los juzgados.

■ **Las conductas incestuosas** producen ansiedad en las niñas y sentimiento de culpa. En el futuro pueden generar disfunciones sexuales, favorecer la prostitución y el uso de drogas y los intentos de suicidio. Estas relaciones se suelen iniciar cuando las niñas tienen de 8 a 11 años.

---

■ «Como media el incesto empieza cuando la víctima tiene entre 6 y 11 años», [24] y «en la mayoría de los casos dura de uno a cinco años». [25]

■ «El incesto puede tomar formas encubiertas: padres que hablan constantemente de sexo con sus hijas, que las interrogan sobre su vida sexual, que dejan material pornográfico cerca de ellas, que las espían cuando se desnudan y que las cortejan. Todos los niños son rehenes de sus padres en el sentido de que son totalmente dependientes de ellos para su supervivencia. En aproximadamente el 50 % del incesto el padre es maltratador físico. Por lo tanto, la sumisión de los niños al abuso paterno está virtualmente garantizada». [26]

■ «Un mínimo de una de cada seis mujeres en este país (EE UU), ha sido abusada incestuosamente. De la muestra, un 4,5 % había sido abusada sexualmente por su padre». [27]

**¿Qué se puede hacer para prevenir la violación?** Te propongo un juego de grupo. Cuando estés con amigos pídeles que entre todos escriban diez formas de prevenir la violación.

1. **Una vez te las entreguen,** de las diez propuestas elimina las que sean consejos a las mujeres acerca de los cambios que ellas tendrían que hacer en su propia conducta a fin de prevenir la violación: «No salgas sola por la noche»; «Permanece alerta»; «No te quedes parada en la calle»; «No provoques sexualmente a los hombres»; «No lleves minifalda»; «Asegúrate de cerrar siempre con llave puertas y ventanas»; «Estaciona siempre tu vehículo en un lugar bien iluminado»; «Comunica clara y asertivamente que no quieres tener relaciones sexuales»; «Lleva un silbato». A las hijas se les suele exigir que vuelvan por la noche a casa antes que a los hijos varones. Es injusto y dañino para las niñas limitar su libertad más que la de los niños. Ello transmite el mensaje de que ellos pueden hacer lo que quieran y que ellas son las responsables de su propia victimización. Tal mensaje no previene la violación, la perpetúa.

2. **Selecciona respuestas** dirigidas a los varones para educarlos en reconocer que:
   - No son superiores a la mujer ni tienen derecho a abusar de ella.
   - Su sexualidad no es más poderosa o intensa que la femenina y, sin embargo, ellas no violan al varón.
   - Violar no es ser más hombre, sino tener graves problemas de sexismo, egocentrismo y mal manejo de los impulsos. Son responsables de la agresión y si quieren pueden controlarse; de no ser así han de ir al psiquiatra inmediatamente porque tienen una enfermedad mental. Es un mito que la biología y los impulsos sexuales primitivos masculinos empujen a los hombres a violar. Según la investigación actual, la violación es un acto de violencia sexual aprendi-

do, derivado de creencias sociales según las cuales los hombres se creen con derecho a dominar y controlar a las mujeres. Que la violación sea aprendida significa que podemos realizar el aprendizaje contrario: que no es una característica biológica varonil el impulso sexual incontrolable. La prueba es que la mujer siente igual deseo que el hombre, y tiene igual o mayor capacidad de disfrute sexual que él y, sin embargo, no se comporta como él. Los animales no violan.

La agresión sexual es un delito y la Justicia actuará contra ellos si violan.

---

Jane Goodall pasó treinta años en las selvas de África observando el comportamiento de los chimpancés. En esos treinta años nunca presenció una violación entre chimpancés, los primates más cercanos a nuestra especie.

---

3. **Felicita a los autores** de respuestas como:

Aprender a detectar los abusos sexuales en el hogar, estando alerta cuando hay violencia doméstica, cuando los niños tienen conductas sexuales impropias, cuando tienen lesiones genitales, cuando se quejan de que un pariente les toca, etc. Un número enorme de agresiones sexuales se dan en el ámbito familiar o de conocidos, y las advertencias populares muestran una gran hipocresía al respecto achacando a desconocidos las agresiones sexuales.

Detectar y parar adecuadamente cualquier manifestación de violencia de género del padre hacia la madre.

Educar a los hijos en la igualdad, sin discriminación. No asignar a las niñas más tareas del hogar que a los niños, ya que esto transmite el mensaje de que ellas deben servirlos. Al crecer, los niños pueden pensar que las niñas también deberían servirlos sexualmente.

▪ Cambiar el lenguaje. Por ejemplo, cuando se usan las palabras «puta» o «zorra» para descalificar a aquellas mujeres que no mantienen un estricto control sobre su sexualidad, mientras que la manifestación libre de la sexualidad de los varones es definida como buena y merecedora de aplausos, se está dando el mensaje a las niñas que lo oyen de que la expresión libre de su sexualidad es algo degradante. No existe una palabra análoga a «ninfómana» en masculino porque se considera un vicio propio del «furor uterino». En cuanto la investigación psicológica observó que también los varones padecían ese trastorno se buscó un nombre digno como «adicción al sexo» y se trató como enfermedad.

▪ Promover el orgullo de la sexualidad femenina. Un pene erecto es algo digno, poderoso y de lo que los adolescentes se sienten orgullosos; una vulva húmeda es algo oscuro y pecaminoso de lo que da vergüenza hasta hablar. Algunos padres se sienten orgullosos cuando sus hijos varones dan muestra de su masculinidad por primera vez, y en cambio tratan de putas a sus hijas cuando empiezan a tener relaciones. Esto se justifica diciendo que es para protegerlas contra la violencia sexual o, más cruelmente, «para que no traigan hijos a casa». Actualmente las muchachas tienen formas mejores de prevenir un embarazo.

▪ Promover que las mujeres y las niñas de la familia lleguen a puestos de responsabilidad y poder en la sociedad. Cuando las mujeres detenten la mitad del poder, la violación y los violadores ya no serán perdonados.

## Maltrato a ancianos

Cuando hay malos tratos en una familia los ancianos, al igual que los niños, pueden ser las víctimas finales del abuso. Si no son maltratados directamente pero presencian el maltrato a la mujer o a los niños, también están siendo maltratados psicológicamente y sufren una afectación por ser testigos de la violencia. El agresor puede maltratar al anciano como venganza hacia la mujer, o bien ésta, sumida en el miedo y la degradación, aprende a maltratar a los más débiles. La madre de familia maltratada, sin pretender dañar a los hijos y a los ancianos, puede caer en negligencia hacia éstos por su estado de profunda depresión y abandono, no cuidándoles como es debido.

Todos los estudios coinciden en que el maltrato a ancianos es un problema de violencia de género, siendo las mujeres mayores las que mayoritariamente sufren palizas, negligencia, abandono, etc.; mucho más que los hombres mayores. Sin embargo, tenemos que volver a hablar de maltrato a ancianos como si lo que predominara fueran hombres maltratados, por el sexismo del lenguaje.

---

■ Sexo de las víctimas del maltrato a ancianos: 68 % mujeres, 32 % hombres.

■ Los agresores suelen ser los hijos adultos (36.7 %). Impiden que los ancianos hablen con otras personas. Son coléricos, conflictivos, indiferentes y agresivos con los ancianos. Pueden tener adicciones, enfermedades mentales, conducta criminal o antecedentes de violencia doméstica. Hablan de los ancianos como de basura.

National Center on Elder Abuse, 1986, EE UU

---

Los expertos dicen que el maltrato a ancianos está aumentando actualmente; se estima que un 5 % de los ancianos sufre malos tratos. La población europea está envejeciendo y, cada vez más, la violencia doméstica a ancianos será un problema a tener en cuenta. Si una mujer maltratada es atendida de mayor por hijos que han copiado el modelo machista del padre, corre un gran riesgo de sufrir negligencia o malos tratos por parte de éstos.

**¿Cómo se maltrata a los ancianos?** Se les castiga física y psico-lógicamente, se les trata como a niños, se les pega, se les niega la alimentación o el agua, o se les alimenta a la fuerza, se les da un exceso de tranquilizantes, no se les da la dosis adecuada de medi-camentos, se les ata, se les encierra o se les aísla de otras personas. Se les niega limpieza, ropa, refugio, confort. Se les abandona, sobre todo en vacaciones, en una institución, en un centro comer-cial o en su propia casa.

Se les explota económicamente: se usa ilegalmente o de forma impropia su dinero o sus propiedades. Pueden utilizarse cheques sin autorización, falsificar su firma, robarles, etc. Otras personas pueden notarlo al observar cambios repentinos en las cuentas bancarias, testamentos, cesión de grandes cantidades de dinero al cuidador o inclusión de éste en la cuenta, desaparición de canti-dades o bienes, provisión de servicios que no son necesarios, y manifestación directa del anciano sobre el abuso económico.

Se dan casos de abuso sexual a ancianos. Son detectados por otras personas cuando observan hematomas o heridas en pecho o genitales; enfermedades venéreas no explicadas; manchas de sangre en la ropa íntima; manifestaciones del mayor acerca del abuso.

El anciano puede presentar deshidratación, malnutrición, lla-gas sin tratar, déficit de higiene, problemas de salud sin tratar, mal estado de la vivienda (electricidad, calefacción, agua, sanitarios). Manifiesta malestar, agitación, depresión o agresividad, o comu-nica directamente el maltrato.

# El maltratador

Te has preguntado muchas veces por qué él te trata así. En ocasiones lo ves como alguien que te quiere y en otras como alguien que te odia. Te dices: «¿Estará loco?». Piensas que si le ayudaran, si recibiera una terapia adecuada, acaso pudiera tratarte mejor, pero al instante sientes que él no quiere cambiar. ¿Es un enfermo o es simplemente malo?

En este capítulo veremos:

- ¿Los maltratadores son enfermos?
- ¿De qué tipos de maltratadores podemos hablar?
- ¿Qué requisitos mínimos debe cumplir la terapia al hombre maltratador?
- ¿Funciona realmente la terapia a maltratadores?

## ¿Los maltratadores son enfermos?

Los maltratadores son hombres «normales» particularmente sexistas en su socialización. No existe un tipo específico de maltratador, aparecen en todas las capas sociales y con cualquier nivel cultural. Son jueces, médicos, políticos, albañiles, carniceros... Lo más frecuente es que hayan presenciado violencia doméstica en su infancia. En general no son locos ni psicópatas.

---

Nota: Este capítulo es parte del artículo de la autora: «El maltratador: ¿enfermo o delincuente?». Ediciones DOYMA, Barcelona, 2004.

El 70 % de hombres que maltratan a sus compañeras son personas a las que no se les puede considerar enfermos. Sólo entre el 20 y el 30 % de ellos tienen una enfermedad mental.[28]

En la mayoría de los casos no tienen comportamientos agresivos fuera del ámbito familiar. La conducta pública de los agresores suele ser muy diferente de su conducta privada: con otras personas son amables y correctos, e incluso con la víctima al principio de la relación. Es importante que la familia, los amigos, los compañeros de trabajo, y sobre todo los jueces, no desconfíen de la credibilidad de la víctima basándose en el comportamiento y la imagen pública del maltratador.

El alcoholismo es un factor agravante, pero no es la causa de la violencia doméstica. El alcohol no transforma en maltratador a un hombre que no lo es. Hay muchos maltratadores que no beben ni usan drogas. Droga y alcohol pueden ser usados como una excusa para ejercer la violencia. Un maltratador alcohólico tiene dos problemas, y cada uno requiere un abordaje distinto. Una terapia anti-alcohol no tiene que servir para reducir la pena que se imponga al maltratador.

El maltrato proviene de la creencia cultural y social de la superioridad del hombre sobre la mujer, por la que los hombres se otorgan el derecho para controlar a la mujer usando cualquier medio, incluso la violencia. Hay prejuicios sociales latentes difíciles de erradicar: se da por supuesto que frente al hombre, la mujer suple su falta de inteligencia con astucia; en los medios de comunicación se la asocia a temas frívolos o «de mujeres»; laboralmente todavía está discriminada en cuanto a acceso al trabajo, sueldo y categoría. Pegar a la mujer estaba permitido hasta hace muy poco en todos los países. Ella era una posesión del marido, al igual que los hijos.

La violencia es una forma efectiva de conseguir control sobre sus parejas y, en general, hay pocas consecuencias sociales negativas para esta conducta. Él consigue que ella se calle, que le obedezca, sin tener que esforzarse en razonar, pactar o ceder en algo.

# ¿De qué tipos de maltratadores podemos hablar?

Jeffrey Lohr, psicólogo del Center for Research on Aggression and Violence (CRAV), empezó a investigar la violencia doméstica en la década de 1990. Estudió las características de personalidad de un grupo de ochocientos varones sentenciados como maltratadores en el estado de Wisconsin. Aparecieron tres tipos de agresor:

1. **Los de tipo «psicopático».** Carecen de empatía y culpabilidad. Han sido maltratados ellos mismos de pequeños con más frecuencia que los hombres de los otros grupos. Durante la explosión violenta hay calma fisiológica, utilizan fríamente la agresión para conseguir sus fines e incluso pueden disfrutar con el sufrimiento de su víctima. No hay un desahogo colérico, sino un castigo contundente y premeditado. Algunos son verdaderos psicópatas, pero no todos.

## ¿Qué es un «psicópata»?

Para poder entender lo que es el factor psicopático de la personalidad del maltratador tenemos que empezar clarificando un concepto clave como el de «psicopatía». Ésta no se considera una enfermedad mental propiamente dicha, sino un trastorno de la personalidad.

El Dr. Hare ha investigado la psicopatía durante más de 25 años. Ha creado para ello una escala de veinte ítems: la Hare Psychopathy Checklist-Revised.[29] Los estudios realizados demuestran que los delincuentes psicópatas (según el PCL-R) vuelven a agredir violentamente tras su liberación tres o cuatro veces más que los delincuentes no psicópatas. [30]

Los psicópatas tienen pocas dificultades para infiltrarse en los negocios, la política, la ley, etc. Llevan una vida social pervertida, mostrando una cara pública muy diferente de su auténtico rostro. Son egocéntricos, narcisistas, ansiosos y poco empáticos. No se consideran vinculados a las normas sociales y leyes. Utilizan la violencia de forma premeditada y a sangre fría para conseguir sus fines. Pueden utilizar encanto, manipulación e intimidación. Carecen de remordimientos. Son más sádicos.

2. **Los de tipo «colérico».** Tenían un enfado crónico, siempre estaban malhumorados. Eran violentos con la familia. Habían presenciado malos tratos de su padre a su madre. El tipo colérico podría corresponder a diversos trastornos de la personalidad: paranoide, límite y antisocial. Es un hombre que siempre teme que la mujer lo abandone o que se tome demasiadas atribuciones. Cree que ella le pertenece y que no puede tener voluntad propia. Es el celoso colérico que la maltrata físicamente y luego le pide perdón. La explosión violenta le permite descargarse y demostrar «quién manda allí». La película *Te doy mis ojos* de Iciar Bollaín muestra este tipo de comportamiento.

3. **Los «normales»,** que limitan su violencia al hogar. Parecían funcionar normalmente en todos los aspectos de su vida. «Éste es el grupo en el que estamos más interesados para descubrir las variables psicológicas que encaminan a estos hombres normales a pegar a sus mujeres», dice Lohr.

   Tienen rasgos de personalidad psicopáticos o coléricos, pero sólo en el ámbito del hogar; no podemos hablar de trastornos de personalidad. La violencia está aquí restringida a la mujer y/o a los hijos (sobre todo hijas), a los que él considera inferiores o de su posesión. Suele haber visto ese mismo modelo de comportamiento en su padre y considera normal tratar así a las mujeres.

   En mayor o menor medida y cuando tiene confianza, este hombre se comporta de forma discriminatoria y controladora con todas las mujeres con las que tiene un vínculo cercano. Ante otros varones su conducta es calmada, comprensiva y empática. No tiene antecedentes de violencia con hombres: con ellos es solidario y respetuoso.

   A los ojos del mundo es un hombre «normal», pero en su intimidad se cree superior a la mujer, e impide y minimiza el desarrollo y éxito de ésta. Puede coincidir en gran medida con el perverso que describe Mary-France Irigoyen en *El acoso moral:*[31] es el hombre que acaso no pega a la mujer pero la descalifica, contrarresta y acosa verbalmente de forma solapada, llegando a inducirla al suicidio. Maneja la cólera para controlarla. El factor psicopático manifestado de forma selectiva a un cierto tipo de seres humanos es la «discriminación».

## ¿Qué requisitos mínimos debe cumplir la terapia al hombre maltratador?

▪ **No hay ningún tratamiento para la psicopatía.** Si el factor psicopático es un elemento característico de la personalidad del maltratador, aumenta dramáticamente la probabilidad de reincidencia en actos violentos aunque aquél haya recibido tratamiento psicoterapéutico. Recordemos la conclusión de Hare: «Los estudios realizados demuestran que los delincuentes psicópatas (según el PCL-R) vuelven a agredir violentamente tras su liberación, tres o cuatro veces más que los delincuentes no psicópatas».[32] Sería recomendable administrar a todos los maltratadores el test PCL-R antes de dirigirles una terapia de cualquier tipo. Los psicópatas suelen ser inteligentes y simuladores, por lo que finalizarán el tratamiento fingiendo un cambio y volverán a maltratar a su pareja sin ningún remordimiento.

▪ **La terapia tiene que basarse en un enfoque de género.** La raíz del maltrato está en una discriminación, así que hay que detectar y corregir la creencia de la superioridad del varón frente a la mujer; reconocer los fallos del modelo de masculinidad, los procesos de socialización masculina y educar al hombre en el manejo de la frustración ante el aumento de poder de la mujer.

David Adams, psicólogo de Emerge (programa de ayuda a maltratadores en Boston) mantiene: «El abuso doméstico es el producto de una sociedad sexista que acepta la dominancia del varón sobre la mujer. A los hombres se les ha enseñado a considerar a la mujer como un objeto sexual, a pensar que ésta es de su propiedad, que tienen derecho a ello y que su tarea como hombres es dominar. Los hombres no respetan a la mujer, se creen con derecho a controlar las vidas de sus compañeras. Pegar no es una enfermedad, es una conducta aprendida».[33]

«Soy muy consciente del impacto que tienen las experiencias tempranas en el carácter adulto, pero hay un punto en el que la gravedad de la conducta actual de una persona sobrepasa cualquier injuria del pasado. ¿El dueño de un esclavo necesita psicoterapia o ser castigado? Este esclavista puede él mismo haber sido una víctima en sus primeros años, pero cuando una víctima atraviesa la línea y se convierte en un opresor, tiene que haber consecuencias. La gente controladora no quiere cambiar, el abuso permite que permanezcan por encima y a ellos les gusta que así sea».

«El objetivo de la terapia al maltratador no es cambiar al hombre, sino hacer que la mujer esté segura y el hombre rinda cuentas de sus actos».

▣ **Giro de la terapia familiar hacia la individual.** El agresor es el único responsable de la violencia; en ningún caso lo es la víctima, ni directa ni indirectamente. Este principio ha supuesto un cambio en el paradigma psicológico utilizado. La terapia familiar sistémica ha sido sustituida por una terapia, ya sea individual o colectiva, que se centra en el individuo ejecutor y responsable de la violencia. Tampoco es recomendable la terapia de pareja ni la mediación.

La *mediación* está contraindicada en casos de violencia doméstica. Por mucha que sea la habilidad del mediador, la víctima está en riesgo si se desvela información sobre ella. El agresor tiende a simular una conducta pacífica y complaciente con la víctima, encubriendo sus verdaderas intenciones. No va de buena fe. No es un diálogo de igual a igual: el abuso de poder ejercido durante años ha menguado la asertividad y seguridad de la víctima. Ella va a tender a dar la razón a su excompañero y no va a defender sus derechos. Se siente intimidada por él. El desequilibrio de poder es demasiado grande para pactar o negociar como iguales. La mujer no tiene que suplicar su derecho a no ser maltratada, ni cambiar el no ser agredida de nuevo, por dinero o visitas de él a sus hijos.

Si se decreta que debe haber mediación, hay que solicitar que víctima y agresor no estén juntos en la misma habitación, y que las partes sean representadas por consejeros legales. Una sentencia que recomiende mediación en un caso así es fruto de la falta de formación del juez sobre violencia de género.

▪ **Aunque trate del manejo de la cólera, éste no debe ser el aspecto fundamental de la terapia.** Muchos maltratadores manejan muy bien la cólera: sólo se encolerizan con mujeres y lo hacen para controlarlas mejor. La mayoría eligen ser coléricos para no rebajarse a pactar, escuchar o negociar con la mujer. No tienen un problema de control de la cólera, sino de discriminación hacia la mujer. «Desarrollan un modelo planificado de control coercitivo», según dice el Dr. David Adams. «No es adecuado mandarles a una terapia de control de la cólera, pues muchos de ellos no sólo no han perdido el control de su cólera, sino que la han utilizado para manipular y controlar a sus parejas e hijos».[34] Tal como dice Paul Kivel, el cofundador del Oakland Men's Project: «La cólera no es el problema».[35] Bajo el eufemismo de 'crimen pasional' se esconde la violencia y la discriminación por razón de género. Esta terminología da a entender que el agresor no podía realmente hacer otra cosa, que era impulsado por fuerzas más allá de su control. Sin embargo, la investigación demuestra que los maltratadores no están fuera de sí, ni han perdido el control, ni están locos o enfermos, sino que han elegido ser violentos para controlar a las mujeres. Con otros hombres o con sus jefes no se comportan así. Mediante la excusa de la cólera o los celos eluden la responsabilidad de sus actos.

■ **La infancia traumática tampoco debe ser el centro de la terapia.** Se debe tratar la infancia traumática pero sin que el maltratador se justifique constantemente con ella. Todos hemos pasado traumas y eso no nos quita responsabilidad de nuestros actos. El terapeuta ha de ser estricto en cuanto a la responsabilidad del hombre sobre su conducta violenta, pero empático con respecto a las experiencias de la niñez que la causan, evitando reproducir los sentimientos de impotencia del agresor.

Ed Gondolf, investigador de violencia doméstica en el Mid-Atlantic Addiction Training Institute en Pittsburgh, cree que: «Los maltratadores que acuden a terapia han desarrollado tremendos sistemas de racionalización y negación, y necesitan que se les contrarreste con un mensaje enérgico y consistente. Cuanto más difuminas ese mensaje con psicología, más se alimenta con la racionalización de él. El tratamiento puede ser muy eficaz si en su primera mitad se trabaja la conducta y después se investigan los traumas de la infancia. El trabajo psicológico se debe hacer después».[36]

«Muchos de estos hombres ven su infancia desgraciada como una excusa», dice Beth Gerhardt, directora del programa para maltratadores Respect. «No entramos en su infancia. Esto es un programa de educación de la conducta. Si quieres tratar de ello, ve a un psicoterapeuta. Aquí queremos discutir por qué él empujó a su pareja por la escalera. Si se lo permites él se sale del tema constantemente. Empezar a hablar de su infancia es peligroso para la mujer».[37] No se les permite justificar su conducta con la conducta de su pareja, con el alcohol, el dinero, el temperamento, la infancia o cualquier otra cosa. Ellos lo hicieron y no hay excusa, y tendrán que parar esa conducta o irán a la cárcel. Se les enseñan técnicas para controlar la cólera y comunicarse más efectivamente con sus parejas. Aprenden que el abuso no es sólo pegar, sino también las amenazas, los insultos, el maltrato psicológico y el control económico.

**La terapia debe ser a largo plazo.** Cuesta muchos años erradicar una socialización sexista. Una terapia de tres años es relativamente corta para extraer de la mente y la conducta del maltratador una serie de prejuicios y de conductas violentas aprendidas en la infancia y fomentadas por la sociedad. Siete años sería una duración más razonable para poder hablar de una verdadera terapia al maltratador. En ese tiempo él puede haber iniciado otras relaciones de pareja y es en ellas donde debe plasmar su verdadera maduración en el respeto a los derechos humanos y la no discriminación.

**La terapia no tiene que utilizarse para reducir la pena o conseguir que la mujer no se vaya.** La terapia no debe ser una moneda de cambio con la que el maltratador reduzca la pena o consiga que su mujer vuelva con él. Se debe acceder a la terapia de forma voluntaria.

Craig McDevitt, presidente de la British Association of Counselling (asociación profesional de psicoterapeutas), no está de acuerdo con que ningún hombre violento pueda ser rehabilitado. «Todo depende de la clase de terapia que se haya estudiado. Cualquier programa al que se haya forzado a participar a la gente tendrá una alta tasa de fracaso».[38] En efecto, algunos maltratadores acceden a la terapia porque es la única alternativa a la cárcel. Acuden a regañadientes, simulan un proceso terapéutico y al poco tiempo vuelven a las andadas, situación muy distinta de la experiencia del programa noruego Alternativ Til Vold (ATV),[39] en el que el seguimiento del tratamiento es voluntario. Un castigo legal no puede ser sustituido por un programa de rehabilitación; no obstante, sí parece que en algunos casos funciona la combinación de ambos.

También aquí podemos poner como ejemplo la película *Te doy mis ojos*, de Iciar Bollaín, en la que se muestra el fracaso de una terapia centrada en el manejo de la cólera y con la que el protagonista quiere conseguir que su compañera se quede con él.

## ¿Funciona realmente la terapia a maltratadores?

Como ejemplo veamos las conclusiones[40] a las que se ha llegado en Gran Bretaña, país que ha dedicado mucho tiempo y dinero a investigar la eficacia de la terapia administrada a maltratadores:

- **El Ministerio del Interior** de Gran Bretaña ha financiado hasta el 2002 proyectos de rehabilitación para 10.000 personas, con el objetivo de disminuir la reincidencia en los agresores violentos. Los indicadores tempranos (obtenidos en el 2000) de eficacia de dichos programas muestran un claro éxito en todos ellos, incluyendo aquellos para agresores sexuales, drogadictos y criminales violentos en general, con una excepción: los agresores de violencia doméstica. Sólo el 25 % de los hombres completaron los cursos. Según la encuesta del Ministerio del Interior Británico, los maltratadores parecían inmunes al tratamiento.

- **Harry Fletcher,** del National Association of Probation Officers, describió los hallazgos como «extremadamente preocupantes». «Habíamos dado por supuesto que todos los programas intensivos para maltratadores reducían este crimen significativamente. Si esto no ocurre así con la violencia doméstica, se tienen que reevaluar los programas y acrecentar la protección a la mujer». Los sorprendentes hallazgos llevaron a un completo replanteamiento de la forma en que aborda el sistema de justicia criminal el problema de la violencia doméstica. El en aquel entonces ministro de Interior, Jack Straw, decidió retirar el presupuesto para las sesiones de terapia para los hombres culpables de violencia doméstica, y en su lugar invertir en casas de acogida, cumplimiento estricto de las medidas cautelares contra los agresores y «marcado electrónico» de éstos para mantenerlos alejados de sus exesposas o exnovias.

■ **Sandra Horley,** directora de Refuge, el mayor servicio del país proveedor de soporte para las mujeres maltratadas y sus hijos, dice: «No soy una feminista de línea dura, no estoy en contra de que se haga terapia a los maltratadores, pero en muchos años de experiencia sólo he conocido a un hombre que ha cambiado su conducta. El problema con el grupo de terapia es que se puede convertir en una tertulia, y hay evidencias que demuestran que los hombres realmente se vuelven más astutos en la forma de encubrir su violencia».

Ana Mª Pérez del Campo, fundadora de la única casa de Recuperación Integral para mujeres maltratadas de España, dice: «La única opción con posibilidades es tratar a la infancia agredida o testigo de violencia de género con programas específicos. ¡Son tantísimas las mujeres que fueron víctimas anteriormente de su padre y tantísimos los agresores que también lo fueron o tenían un padre que agredía a la madre... ! No es posible recuperar a un agresor, como reitera el psiquiatra Rojas Marcos, pero sí evitar que los niños lo lleguen a ser y sacar a las niñas de la espiral de la violencia».[51]

«No se puede recuperar a un agresor porque no hay sentimiento de culpa; él sigue las normas de comportamiento masculinas aprendidas desde la infancia y éstas son las que le dan identidad. Es el único punto en común de los agresores: son hombres modélicos, según la concepción tradicional de la masculinidad. Pero no les es posible renunciar a las gratificaciones que les da el ejercicio de la violencia».

La autora del libro también participa de la opinión de Ana Mª Pérez y Rojas Marcos: la verdadera prevención está en una educación en valores y no discriminación, desde la primera infancia.

[1] WALKER, L. «The Battered Woman». 1979.

[2] CAMPBELL, J. C. «Violence against women. Health consequences of intimate partner violence». Aparecido en *Lancet*, n° 359, 2002.

[3] AMERICAN PSYCHIATRIC ASSOCIATION. DSM IV - Diagnostic and Statistical Manual of Mental Disorders, Fourth Edition. Washington DC: American Psychiatric Association, 1994.

[4] OMS. «Violencia contra la mujer. Un tema de salud prioritario». Junio de 1988.

[5] PINO y MEIER, 1999.

[6] BACHMAN et al, 1999.

[7] CARON y CARTER, 1997; WINKEL y KLEUVER, 1997; MARCINIAK, 1998; ANDERSON, 1999; PASCALE y LESTER, 1999; COWAN, 2000.

[8] ANDERSON, 1999.

[9] CALVO ROSALES, J.; CALVO FERNÁNDEZ, J. R. *El niño maltratado*. Madrid, Ed. CEA, 1986.

[10] JACKSON, Suzanne H. *Child abuse, the impact of domestic violence on your legal practice*. The American Bar Association Commission on Domestic Violence, 5-17 1996; Stark & Flitcraft, *Woman-Battering, Child abuse and social heredity: What is the relationship?*, Marital Violence, 1985.

[11] SCHECHTER, Susan; CONTE, Jon; FREDRICK, Loretta. *Domestic violence and children: what should the Courts consider?* en «Courts & Communities: Confronting violence in the Family Conference Manual». Ed. National Council of Juvenile and Family Court Judges Family Violence Project, Marzo de 1993.

[12] DAVIDSON. «Conjugal crime: understanding and changing the wife abuse pattern»,1978.

[13] BOWKER, L.H.; ARBITELL, M.; MC FERRON, J.R. *On the relationship between wife beating and child abuse*, in K. Yllo and M. Bogard (Eds.) «Perspectives on wife abuse»,1988.

[14] STRAUS, GELLES & STEINMETZ, 1980.

[15] BOWKER, L.H.; ARBITELL, M.; MC FERRON, J.R. *On the relationship between wife beating and child abuse*. Feminist perspectives on wife abuse, 1988.

[16] CRITES, Laura; COKER, Donna. «What therapists see that judges may miss: a unique guide to custody decisions when spouse abuse is charged». *The judges Journal*, Primavera de 1988.

[17] LEVINE, Daniella. *Children in violent homes: effects and responses*. 68 FLA. B. J. 38, 62 Octubre de 1994.

[18] CARLSON, 1984.

[19] CROSBY Phillip C., note. *Custody of vaughn: emphasizing the importance of domestic violence in child custody cases*. 77 B.U.L. REV. 483, 500 (1997); Lynne R. Kurtz.

[20] ELLSBERG M., et al. *Confites en el infierno: prevalencia y características de la violencia conyugal hacia las mujeres en Nicaragua*. Asociación de Mujeres Profesionales por la Democracia en el Desarrollo, Managua, 1996.

[21] MILLER G., *Violence by and against America's children*. 17 J. Of Juv. Justice Dig. 6 1989.

[22] RAVINDRAN, S. «Health implications of sex discrimination in childhood». OMS/UNICEF, 1986.

[23] FINKELHOR, 1980; HERMAN y HIRSCHMAN, 1977.

[24] BROWNING y BOATMAN, 1977; GIARRETTO, 1976; MAISCH, 1972.

[25] TORMES, 1968.

[26] GRAHAM, D. L. R. con RAWLINGS, E.I. y RIGSBY, R. K. (1994). *Loving to survive: sexual terror. Men's violence and women's lives.* New York: New York University Press.

[27] RUSSELL, Diana, 1986.

[28] X Reunión de la Sociedad Española de Psiquiatría Forense, 18/12/2001.

[29] HARE, R. D. «The Hare Psychopathy Checklist-Revised». Toronto, Multi-Health Systems, 1991.

[30] «Hart and Hare», in press.

[31] IRIGOYEN, M. F. *El acoso moral.* Ed. Paidós.

[32] «Hart and Hare», in press.

[33] ADAMS, David. *A profeminist analysis of five treatment models of men who batter.* Feminist perspectives on wife abuse, Yllö and Bograd, eds. Newbury Park (Ca.): Sage, 1988.

[34] ADAMS, David. *A profeminist analysis of five treatment models of men who batter.* Feminist perspectives on wife abuse, Yllö and Bograd, eds. Newbury Park (Ca.): Sage, 1988.

[35] KIVEL, Paul. *Men's work: how to stop violence that tears our lives apart.* Hazelden Information Education, 1999.

[36] GONDOLF, Edward. *Male batterers. Family violence: prevention and treatment* (resultados en *Children's and families' lives,* vol. 1). Ed. by Robert Hampton. Sage Publications, 1993.

[37] «The Standard Times of New Bedford» (Ma, www.s-t.com/projects/DomVio/index.html)

[38] «Straw pulls plug on counselling for wife-beaters», por Martin Bright y Sarah Ryle. *The Observer,* Domingo 28 de Mayo de 2000.

[39] «Tratamiento de hombres agresores en países nórdicos» Banco Interamericano de Desarrollo, 2001. (www.iadb.org/sds/violence).

[40] «Straw pulls plug on counselling for wife-beaters» por Martin Bright y Sarah Ryle *The Observer,* Domingo 28 de Mayo de 2000.

[41] PÉREZ DEL CAMPO NORIEGA, Ana Mª. «Una cuestión incomprendida: el maltrato a la mujer» *Horas y Horas,* Madrid, 1995.

TERCERA PARTE

# Saliendo del maltrato

# Al fin libre

*Al fin libre,*
*¡al fin soy una mujer libre!*
*No más ataduras a la cocina,*
*sucia entre los sucios cacharros.*
*No más vínculo con un marido*
*que cree que soy menos*
*que la sombra que teje con sus manos.*
*No más cólera, no más hambre.*
*Me siento ahora a la sombra de mi propio árbol.*
*Meditando así, estoy feliz y serena.*

¡Qué actual nos suena este poema de libertad! Podría estar escrito por una barcelonesa o una neoyorkina del siglo XXI, y sin embargo lo escribió una mujer del siglo VI antes de Cristo, esposa de un tejedor de sombrillas y seguidora de Buda.

No han cambiado mucho las cosas como podemos ver. ¿Cuántos milenios más harán falta para que el varón de la especie deje de creerse superior a la mujer?

Sumangala fue una de las muchas seguidoras de las enseñanzas de Buda que escribían sus experiencias, recogidas en un volumen llamado Therigatha.

# Seguridad

Tú y tus hijos estáis corriendo un riesgo cada vez mayor a causa de la violencia de tu compañero. Estás aterrorizada y piensas en denunciarle, huir, escapar de alguna manera de este infierno...

Es un momento muy delicado y tienes que pensar cada paso que des. Pide ayuda y asesoramiento. Prepara todo con profesionales y luego realiza tu plan rápidamente. Puedes pedir protección para ti y para tus hijos a la Justicia.

Cuando seas libre te parecerá increíble toda esta odisea y recuperarás las ganas de vivir.

En este capítulo veremos:

- Recomendaciones
- Plan de seguridad con tus hijos
- Valoración de riesgo
- Orden de protección
- Recursos y estrategia

## Recomendaciones

Este capítulo está directamente dirigido a la mujer que se encuentra en el trance de escapar del terror doméstico. Es el momento más difícil, de más riesgo para ella y para sus hijos. Cuando las mujeres dejan a su maltratador es cuando más las atacan éstos. Los consejos siguientes, aunque puedan parecer exhaustivos o exagerados, se quedan cortos comparados con las situaciones de violencia y acoso que ellas tienen que soportar.

## Durante un enfrentamiento «explosivo»

▨ **Si hay una pelea,** trata de estar en un sitio que tenga salida y no en un baño, una cocina o en un sitio en el cual quizás haya cuchillos.

▨ **Practica** cómo salir de casa con seguridad. Identifica qué puertas, ventanas o escaleras deberías usar.

▨ **Ten una maleta lista** y mantenla en casa de un familiar o de una amistad.

▨ **Identifica** a uno o más vecinos a quienes puedas hablar sobre la violencia y pide que llamen a la policía si oyen gritos que vienen de tu casa.

▨ **Ten una palabra clave** para usar con los niños, familia, amigos o vecinos para darles a entender que necesitas que llamen a la policía.

▨ **Decide y planea** adónde irás si tienes que dejar el hogar.

▨ **Usa tus propios instintos** y tu sentido común. Si la situación es muy peligrosa, considera dar al maltratador lo que pida para calmarlo.

**¿Qué hago si vuelvo a ser maltratada?** Denuncia las agresiones en la policía o el juzgado y planifica todo el proceso. Si es posible, consulta con un abogado; si no puedes y estás en peligro, sal de tu hogar y busca un refugio seguro. Muchos ayuntamientos proporcionan un refugio de urgencias para mujeres maltratadas. Tu comunidad autónoma puede tener un teléfono de 24 horas para estos casos. No dejes a los niños solos con el maltratador a menos que sea completamente inevitable. Ellos también pueden estar en peligro. Dejándolos con él puede posteriormente quitarte la custodia en la separación o divorcio. Guarda todas las pruebas. Trata de tomar fotografías de tus lesiones lo antes posible después del incidente. Guarda la ropa desgarrada o manchada con sangre. Consigue copias de los informes médicos por el tratamiento de tus lesiones. Investiga si los testigos están dispuestos a testificar.

Para temas como la custodia de los hijos, los derechos de manutención a éstos y las posesiones de bienes, debes hablar con una abogada.

Una vez te hayas ido es muy importante que denuncies la agresión lo más pronto posible, para que él no te denuncie a ti por abandono de hogar. La policía debe responder a llamadas urgentes lo antes posible. Si la policía está presente cuando la agresión ocurre, puede arrestar al maltratador inmediatamente, puede protegerte de cualquier daño e informarte de los recursos asistenciales disponibles; ellos te pueden transportar al hospital, al juzgado o a la casa de acogida; te pueden acompañar a tu casa para que recojas ropa y las cosas personales necesarias para ti y para tus hijos. Si la policía no está presente cuando la agresión ocurre, debes ir a la comisaría para denunciar los hechos.

Puedes contactar con el fiscal unos días antes del día del juicio para recibir instrucciones y para comunicar cualquier otra prueba disponible.

## Con una orden de alejamiento

- **Si tú o tus hijos** habéis sido amenazados o agredidos, puedes solicitar una orden de alejamiento.

- **Lleva siempre** la orden de alejamiento contigo.

- **Llama a la policía** si tu compañero viola la orden de alejamiento.

- **Avisa a tu familia,** amistades y vecinos de que tienes una orden de alejamiento vigente.

- **Considera alternativas** de seguridad por si la policía no responde inmediatamente.

## Si te quedas en tu casa

- **Abre una cuenta** bancaria o de ahorros a tu propio nombre.

- **Deja dinero,** un juego de llaves adicional, copias de documentos importantes, medicinas y ropa adicional a alguna persona de confianza.

- **Alquila** un apartado de correos.

- **Determina un lugar seguro** al cual puedas ir con tus hijos, o alguien que pueda prestarte dinero.

- **Mantén siempre a mano** el número de la asistenta social que puede hacerte el informe necesario para solicitar plaza en una casa de acogida. Ten monedas o una tarjeta telefónica para poder hacer llamadas de emergencia. No siempre se admite a mujeres embarazadas, inmigrantes sin papeles, con anticuerpos del SIDA o con hijos mayores de 14 años. Entérate de los requisitos y si los cumples.

- **Si tienes animales domésticos,** haz arreglos para que alguien los cuide en un lugar seguro.

- **Si te quedas en tu hogar,** asegura las ventanas y cambia las cerraduras de las puertas de tu casa.

- **Desarrolla** un plan de seguridad con tus hijos para cuando no estés con ellos.

- **Informa a la escuela,** a la guardería de los niños, etc., sobre quién tiene autorización para recogerlos.

- **Informa a tus vecinos** y al propietario de tu casa de que tu compañero ya no vive contigo, y de que deben llamar a la policía si lo ven cerca de tu casa.

- **Pide a la compañía de teléfono** que te den un número totalmente privado y que no se publique.

- **Nunca llames** al maltratador desde tu casa, ya que él podría descubrir el teléfono y acaso la dirección.

## En el trabajo y en público

- **Decide** a qué personas informarás en tu trabajo acerca de tu situación. Habla al personal de seguridad de tu trabajo (si es posible, proporciona una foto del maltratador).

- **Si es posible,** pídele a alguien en tu trabajo que conteste a las llamadas de teléfono para ti, para saber quién está llamando.

- **Pídele a alguien** que te acompañe al ir y venir de tu coche, autobús o tren.

- **Si es posible,** cambia tu ruta para ir y venir de tu casa.

## Lo que necesitas llevarte cuando te vayas

IDENTIFICACIÓN
- DNI
- Carné de conducir
- Certificado de nacimiento tuyo y de tus hijos
- Tarjetas de la Seguridad Social

DINERO
- Dinero y tarjetas de crédito (a tu nombre)
- Talonario de cheques y/o libreta de ahorros

## DOCUMENTOS LEGALES

- Orden de alejamiento
- Contrato de arrendamiento/propiedad de la casa
- Papeles de registro y seguro de tu coche
- Papeles del seguro de salud y vida
- Informes médicos tuyos y de tus hijos
- Informes escolares
- Permisos de trabajo
- Pasaporte
- Documentos de divorcio y de custodia de los niños
- Libro de familia

## OTROS ARTICULOS

- Medicinas y sus dosis
- Llaves de la casa y del coche
- Joyería
- Agenda de direcciones
- Fotografías y artículos sentimentales
- Mudas para ti y los niños

---

Si tu abogado te recomienda no denunciar los malos tratos sufridos puede ser porque:

- No te cree.
- No tiene experiencia en lo penal.
- Ha perdido los casos que ha llevado.

Cambia inmediatamente de abogado.

---

La violencia no acaba con la separación, ya que es entonces cuando el peligro se hace más grande. Que no se conviva con el agresor no significa que éste no pueda hacer daño: hay muchas formas de acosar, manipular y amenazar. Una vez separados sigue siendo necesario un plan de seguridad para ti y para tus hijos.

# Plan de seguridad con tus hijos

Cuando hagas el plan de seguridad con tus hijos, es importante dejarles bien claro que no son responsables del comportamiento de su padre, y que no depende de ellos que les agreda o no.

Piensa en lo que tu hijo es realmente capaz de hacer para la edad que tiene. Un niño de tres años no puede caminar cuatro manzanas solo por la calle. Un niño de cinco años tendría problemas para estar tres horas solo en su habitación. El plan tiene que ser apropiado a la edad.

- **Identifica una persona** que le pueda ayudar. Adáptate a lo que tu hijo cree que puede ayudarle. Dale tiempo para imaginar soluciones. Pregúntale quién cree que puede ayudarle, y si se ve capaz de pedirle ayuda a esa persona por sí mismo.

- **Dile que no siempre** funcionan los planes de seguridad y que si falla no será culpa suya, sino del agresor.

- **Ayúdale a identificar** los primeros signos de peligro, como que mamá y papá estén discutiendo, que papá grite, esté borracho, insulte, amenace, golpee objetos, etc.

- **Cuando hables con tu hijo** sobre su padre, no condenes a la persona sino a las acciones de ésta: «Cuando tu padre actúa así hay que protegerse de él»; «Agredir a otra persona es un delito y lo debemos denunciar». Añade algún aspecto positivo de la personalidad de tu excompañero.

Para mayor seguridad tu hijo puede:

- **Ir a su habitación.**

- **Dejar la casa** e ir a un lugar seguro: a casa de una vecina, de un familiar, de unos amigos, a la policía.

▨ **Salir fuera** del alcance de su padre.

▨ **Llevar encima su móvil** y marcar con una tecla el número (programado previamente) de alguien que le pueda socorrer. Si deja abierta la comunicación pueden escuchar lo que está sucediendo.

▨ **No intentar** parar la violencia del padre hacia la madre, peleando con él o interponiéndose.

**Plan de seguridad escrito.** Es conveniente que, junto con tu hijo, escribas un plan de seguridad para ambos. Tanto tú como él deberéis llevar una copia encima y repasarlo de vez en cuando. En él deben constar nombres, direcciones y teléfonos de las personas y servicios a quien recurrir, las acciones correctas, lo que hay que decir y los objetos, ropa y medicinas que hay que coger. También dónde y cómo protegerse dentro del domicilio si no se puede escapar.

**En las visitas.** La manipulación del maltratador con los hijos frecuentemente aumenta después de la separación, yendo de amenazas directas a forzar la complicidad en el acoso a la madre.
Tu exmarido o expareja puede usar a tus hijos contra ti:

▨ Criticándote delante de tus hijos.
▨ Poniendo a tus hijos en contra de ti.
▨ Preguntando a tus hijos lo que haces y con quién sales.
▨ Pidiendo a tus hijos que te espíen.
▨ Insultándote si tus hijos se portan mal.
▨ Culpándote de tu separación o divorcio.
▨ Diciendo a tus hijos que estás loca, te emborrachas, te drogas, etc.
▨ Haciendo que otros familiares hablen mal de ti delante de los niños.
▨ Puede aprovechar los momentos de intercambio de los hijos para agredirte, insultarte, acosarte, etc.

Puede seguir llamándote por teléfono de forma insistente, a horas intempestivas, o mandándote mensajes, con excusas sobre los niños.

Lleva encima una copia claramente escrita de los documentos legales y las normas pactadas para las visitas. Haz que consten horarios, días, lugares, condiciones, etc. Sigue las normas al pie de la letra. No te dejes manipular por el padre de tus hijos para cambiarlas. No discutas con él sobre las normas de las visitas, deja que tu abogada se encargue. Si él insiste cuelga el teléfono o vete. Si no has conseguido que las visitas se hagan en un punto de encuentro oficial, intenta pactar que vea a los niños en casa de alguien conocido e imparcial que conozca el riesgo que tú y tus hijos corréis. Ten el mínimo contacto posible con tu excompañero. Si te agrede en los intercambios busca testigos y pruebas y denuncia cada vez que ocurra. *Ni se te ocurra volver a tener relaciones sexuales con él.*

## PLAN DE SEGURIDAD PARA TUS HIJOS EN LAS VISITAS

Las visitas son difíciles para los hijos y mucho más si hay violencia doméstica. Es probable que el padre intente interrogarlos sobre ti: tu dirección y teléfono, dónde trabajas, con quién te ves, quién te da soporte o terapia, si bebes o tomas drogas… Es importante que tu hijo entienda que todos esos datos son confidenciales y que no debe hablar de ello con el padre por mucho que él insista en preguntarle.

Debes hablar con tu hijo sobre:

- Cómo llamar a la policía y qué decir.
- Cómo responder a los interrogatorios del padre sobre ti: «Por favor, no me preguntes sobre mamá, me molesta».
- Cómo reaccionar si el padre está borracho o drogado: «Cuando papá está muy borracho habla de una forma especial que tú conoces, está inquieto y puede no estar capacitado para cuidarte. En esos casos llama a la abuela y pídele que te lleve a su casa».

▦ Un plan para llamarte a ti o a otro familiar que pueda ayudarle. Los niños tendrían que saber usar el teléfono, y si es posible llevar un móvil.

▦ Plantear al niño que es posible que su padre le haga sentir dividido entre las lealtades al padre y a la madre.

▦ Si tienes varios hijos instrúyeles para que se puedan ayudar unos a otros.

▦ Explica con anticipación a tus hijos los detalles del próximo encuentro y los pactos sobre las visitas.

▦ Si es posible no muestres tu cólera contra el padre a tu hijo, no le informes de los impagos de su pensión y no le interrogues sobre detalles privados del padre.

---

Si una vez separados él va a terapia para maltratadores, puede hacerlo por diversos motivos egoístas sin un verdadero afán de cambio: porque el juez lo ha indicado así, para conseguir tener visitas con los hijos, para que tú vuelvas con él, etc. Estate muy atenta a los siguiente signos indicadores de que no está cambiando, ni quiere hacerlo:

■ Usa de alguna manera su tratamiento contra ti, como si allí le dieran la razón.

■ Te dice que ahora se da cuenta de que tú eres la maltratadora.

■ Te presiona para que vayas a terapia individual o de pareja.

■ Te dice que le debes otra oportunidad.

■ Dice que él no puede cambiar sin tu ayuda.

■ Intenta que tú o tus hijos os compadezcáis de él.

■ Atemoriza a los hijos con un futuro económico negro si no vuelves con él.

■ Tienes que irle detrás para que vaya a la terapia.

■ Cuando habla delante de otras personas del maltrato lo minimiza. (Es conveniente oír la versión que da al terapeuta).

■ Habla como si le tuvieras que estar agradecida, o como si estuvieras en deuda con él por ir a terapia.

■ Intenta convencerte de que vuelvas con él.

➤

- Intenta convencerte de que renuncies a la orden de alejamiento.
- Intenta convencerte de que retires la denuncia.
- Espera que hagas cosas por él como plancharle la ropa, etc.
- Intenta que tengáis relaciones sexuales.
- Aunque lo disimula notas que no te escucha ni respeta tus opiniones.
- Si dices algo que no le gusta te castiga de alguna manera.
- A los hijos no les ha reconocido que te maltrató.
- Habla de vuestra separación como de una desavenencia pasajera.

## Valoración del riesgo

La probabilidad de que seas agredida de nuevo de forma severa (con lesiones graves o maltrato potencialmente mortal) por tu compañero es mayor cuando se dan los siguientes factores:

1. El agresor presenció o sufrió **violencia en su familia de origen.** Un tercio de los niños que presencian violencia doméstica entre sus padres se vuelven adultos violentos.[1]

2. El agresor tiene una socialización **sexista** y cree que la mujer es inferior al hombre. Se cree con derecho a controlar y maltratar a la mujer. Él se siente frustrado y encolerizado por el triunfo social, intelectual o profesional de ella, porque ella tenga amigos varones, porque ella tenga diferentes creencias o ideologías, etc. Cualquier diferencia a favor de ella, o incluso de él, puede ser la excusa para sus agresiones.

3. El agresor consume **drogas** (alcohol, cocaína, anfetaminas, etc.) que aumentan la intensidad del maltrato.

4. Él ha **amenazado con matarla** o ha hecho intentos directos de matarla (armas, estrangulamiento, etc.).

5. Él **fantasea** con matarla o matarse.

6. El agresor tiene una personalidad con fuertes **rasgos psicopáticos:** superficial, vanidoso, mentiroso, ausencia de remordimiento, ausencia de empatía, no aceptación de responsabilidades. Impulsivo, pobre autocontrol de la conducta, ausencia de objetivos, irresponsable, conducta antisocial en la adolescencia o en la edad adulta. La personalidad psicopática se caracteriza por su crueldad y ensañamiento, por ejemplo, él la maltrató estando embarazada, abusa o maltrata a los hijos, maltrata a los animales de compañía, etc.

7. Ella se encuentra en una situación de **indefensión:**
   - Embarazo, invalidez, enfermedad incapacitante, es inmigrante.
   - Está aislada, no tiene a nadie que la pueda ayudar en una situación de peligro.
   - El proceso del maltrato la ha empobrecido económicamente.
   - Está controlada por el agresor en cada paso que da, el dinero que gasta, con quién habla, etc.
   - Sufre las secuelas psicológicas del maltrato (depresión, estrés postraumático y Síndrome de Estocolmo), está aterrorizada, tiene baja autoestima, justifica el maltrato, se culpabiliza por él, se cree enamorada y retira las denuncias.
   - Es accesible para el agresor: él sabe dónde localizarla.

8. Ella **cree que la va a matar** o dañar gravemente (o a sus seres queridos). Esto se puede valorar con las preguntas:
   - Intensidad esperada: ¿Crees que la próxima agresión va a ser más grave que la última?
   - Frecuencia esperada: ¿Crees que va a tardar menos en agredirte que la última vez?
   - Inminencia esperada: ¿Crees que te va a agredir pronto?

9. Ella le ha dejado o **ha decidido dejarle**, y él lo sabe.

No hay una forma matemática de calcular el riesgo real que corres, pero es evidente que cuanto mayor sea el número de ítems identificados, mayor es el peligro.

Sobre todo debes escuchar tu vivencia subjetiva de peligro; si ésta dice estás en un alto riesgo de sufrir nuevas agresiones tu percepción es mucho más precisa y adecuada que la de nadie. La mujer maltratada conoce perfectamente cada gesto del maltratador: lo que para un extraño puede no tener importancia, para ella puede ser el inicio de una nueva agresión.

*Si sientes que estás en peligro puedes pedir una «orden de protección».*

## La orden de protección

Se dispone en España de una nueva medida de protección que tiene en cuenta el riesgo de sufrir nuevas agresiones de la mujer y sus hijos:

Desde el 2 de agosto de 2003, ha entrado en vigor una nueva Ley en España[2] que obliga a dictar inmediatamente una orden de protección integral de la mujer y de los familiares que de ella dependan, a los jueces de instrucción en funciones de guardia, cuando de los hechos denunciados se deduzcan indicios fundados de comisión de un delito o falta contra la integridad física o moral, libertad sexual o seguridad de las víctimas de la violencia doméstica, y se valore la existencia de una situación objetiva de *riesgo para la víctima*.

La nueva ley 27/2003 sobre la protección de la víctima crea un mecanismo que da posibilidad a los jueces de guardia para dictar medidas inmediatas de protección, con las que necesariamente deberán colaborar los servicios sociales, sanitarios, de vivienda, policiales, etc., disponiendo los mecanismos necesarios para atender las demandas de protección que se planteen.

Matilde Aragó Gassiot, Magistrada

**¿Quién debe solicitar la orden de protección?** Está obligada a denunciar cualquier persona que conozca los hechos, y sobre todo los centros sanitarios, de asistencia social y policiales. Si se considera que la víctima y/o sus hijos corren riesgo de sufrir nuevas agresiones físicas, psíquicas o sexuales, dichos centros deben cursar la orden de protección al juzgado de guardia o fiscalía, independientemente de que la víctima esté de acuerdo o no, o *proporcionar los formularios de protección a la víctima si ésta los solicita.*

Cualquier médico, psicólogo, asistente social o educador, entre otros profesionales, que por razón de su profesión tenga conocimiento de la posible existencia de violencia doméstica o agresiones sexuales a menores, está obligado no sólo a denunciar, como hasta ahora, sino también a solicitar la protección especial del juez, de forma inmediata.

La mujer maltratada puede no atreverse a solicitar protección por sí misma, por miedo al agresor o por sufrir un Síndrome de Estocolmo propio de las secuelas a largo plazo de la violencia doméstica. Si el profesional que la atiende piensa objetivamente que ésta está en situación de riesgo, tiene la obligación de solicitar una orden de protección, incluso en contra de la voluntad de la mujer. Si no lo hace así y la mujer muere o resulta lesionada a manos del compañero, ella o su familia pueden denunciar la negligencia del profesional.

**¿Cuándo se debe solicitar la orden de protección?** Cuando se ha hecho una valoración del riesgo que corren la mujer y/o sus hijos, y se ha concluido que existe un riesgo grave e inminente de sufrir nuevas agresiones.

**¿Cómo se debe solicitar la orden de protección?** Debe rellenarse un formulario que se podrá conseguir en:

- Las comisarías de policía
- Los centros de asistencia sanitaria y servicios sociales

- Cualquier centro de asistencia a la víctima
- Fiscalía
- Los juzgados

En estos mismos centros se podrá entregar el formulario una vez cumplimentado, y ellos tienen obligación de remitir la solicitud inmediatamente al juez de guardia o la fiscalía.

**¿Qué ocurre una vez solicitada la orden?** En el plazo máximo de 72 horas se celebra una audiencia previa, citando a la víctima o a su representante legal, a la persona que ha solicitado las medidas de protección, al agresor (que tiene derecho a estar asistido de abogado) y al fiscal. Se debe evitar la confrontación entre el agresor y la víctima o sus hijos, haciendo que declaren por separado.

**¿Qué medidas regula la ley?** Las medidas que regula la citada ley son de tres clases:

- **Penales.** Protección de la víctima contra posibles nuevos ataques del agresor mediante orden de detención, alejamiento del domicilio, ingreso en prisión provisional, etc.

- **Civiles.** En el supuesto de que existan hijos comunes se puede acordar la atribución inmediata del uso de la vivienda, la custodia de los hijos y régimen de visitas, comunicación y estancia con los hijos, alimentos u otras medidas que se consideren convenientes para apartar al menor de un peligro o evitarle perjuicios.

- **De asistencia social, jurídica, sanitaria, psicológica** o de otra índole, dirigida a proteger a la víctima, que deberán ser acatadas por cualquier autoridad y administración pública.

## Algunos comentarios sobre la custodia de los hijos. La mujer maltratada lleva la custodia de los hijos mejor que el compañero maltratador.[3]

▦ **Es más probable** que continúen en una relación con malos tratos los hombres maltratadores que las mujeres maltratadas. Por ello no hay que dar por supuesto que acabada la relación con su pareja, el maltrato no continúa. Si el niño presencia el maltrato a la nueva pareja de su padre, esta violencia contra la mujer sigue dañando la salud emocional del niño.

▦ **Dejar a los niños** con el maltratador perpetua el ciclo de la violencia al exponer a los niños a un ambiente en el que la violencia es una conducta aceptable.

▦ **Probablemente la madre** tiene mejores habilidades maternales, ya que suele haber sido la cuidadora primaria de los hijos.

---

La norma es que el juez de familia cuando existe maltrato, atribuya la custodia a la madre. La patria potestad es la autoridad que tienen ambos progenitores sobre el hijo común. Los artículos 170, 92 y 158 del Código Civil conceden a los tribunales el poder de privar de la patria potestad a un padre que vulnere sus deberes y actúe en detrimento del hijo. Es una decisión muy fuerte que sólo se toma en circunstancias muy graves.

Los malos tratos familiares se consideran como motivo de trasgresión de los deberes paterno-filiales y, por tanto, originan restricciones y suspensiones de las visitas en el caso de que el juez estime que tales visitas pueden exponer a los hijos a un riesgo.

Lo que se ha venido produciendo hasta ahora ha sido una reticencia por parte de los jueces de familia a retirar al padre su derecho de visitas cuando los malos tratos se habían producido solamente hacia la mujer. Este hecho ha facilitado, en

➤

muchos casos, que el padre tenga un acceso fácil a la madre, instrumentalizando las visitas de los hijos para proferir amenazas y cometer más agresiones.

Cuando el juez o el fiscal lo estimen pertinente, pueden instar al servicio técnico experto del juzgado (psicólogos, trabajadores sociales) a que hagan un estudio de la situación familiar y, en especial, de las condiciones del padre. Estos informes pueden evaluar mejor cuáles son los beneficios o perjuicios que reporta a los menores la relación con su padre. También se ha resuelto como novedad que las visitas con los hijos se realicen en «lugares seguros», donde el padre pueda recoger a los hijos y la madre no esté expuesta a posibles agresiones.

«La violencia doméstica», Inés Alberdi y Natalia Matas
Colección de Estudios Sociales Núm. 10, La Caixa

## CONTRARIAMENTE A LO QUE LA GENTE CREE, MUCHOS PADRES CONSIGUEN LA CUSTODIA DE LOS HIJOS.

La mujer maltratada sin un asesoramiento legal adecuado, o con un abogado de oficio inexperto, puede no saber cómo defenderse de las acusaciones falsas del maltratador y perder así la custodia. Lo más terrible es que el hijo crece en un ambiente donde se usa y promociona la violencia y aprende el modelo al ver que, efectivamente, la violencia es un buen método para conseguir lo que uno se propone

Incluso con representación legal correcta puede llevar años a la víctima probar que el maltratador la amenaza, atemoriza al hijo, lo maltrata, lo utiliza para seguir controlándola, etc. En estos casos los tribunales minimizan o racionalizan el abuso, así como su impacto en el hijo.

Hay psicólogos que anteponen la alienación que puedan causar en el hijo las críticas de la madre hacia el padre, a los malos tratos de éste hacia aquélla, y recomiendan que se otorgue la custodia al padre maltratador. Para los psicólogos sin experiencia sobre la dinámica de la violencia doméstica, y todo sea dicho, con una gran componente sexista en su ideología, la presencia de la figura paterna en la vida del hijo es más importante que la violencia que esa figura pueda ejercer. Además, los esfuerzos de la mujer maltratada para protegerse y proteger a sus hijos del padre pueden ser malinterpretados como una negatividad intencional hacia el hombre. Es responsabilidad de los abogados identificar y vincular a psicólogos que tengan formación y experiencia sobre violencia doméstica y su impacto adverso en los hijos.

---

Los padres maltratadores pelean más por la custodia y el control de los niños. Cuando la madre denuncia el abuso el padre agresor suele negar las alegaciones y acusarla a ella de «síndrome de alienación parental», en el que ella falsifica las acusaciones de violencia para enfrentar al niño con el padre. En Estados Unidos, aunque no es un diagnóstico del DSM IV, algunos padres maltratadores han ganado la custodia con este pretendido síndrome.

---

## Recursos y estrategia

Hay que investigar con qué recursos reales se cuenta, qué soporte social funcional se tiene:

- De los siguientes tipos de ayuda, ¿cuál sería asequible para ti si lo necesitaras?
- Haz una lista con toda la gente que conoces, excluyéndote a ti y a tu pareja. ¿Quién te proporcionaría cada tipo de ayuda si lo necesitaras? Puedes escribir las iniciales de la persona o la relación que tienes con ella. Si no tienes ningún soporte pon «Nadie».
- ¿Quién te prestaría dinero si lo necesitaras?
- ¿Quién te llevaría en coche o te dejaría el suyo si necesitaras un transporte?

- ¿Quién te alojaría de forma temporal si lo necesitaras?
- ¿Quién te ayudaría a obtener un trabajo si lo necesitaras?
- ¿Quién te ayudaría con los niños como «canguro»?
- ¿Quién te proporcionaría información (legal, sobre los juicios, sobre casas de acogida)?
- ¿Quién te protegería de un ataque físico o intervendría si el agresor te atacara?
- ¿Con quién contarías para esconderte del agresor si fuera necesario?
- ¿Quién te proporcionaría alimentos, ropa y muebles si los necesitaras?

La falta de recursos económicos fuerza a las víctimas de la violencia doméstica a volver con el maltratador. Abogados y tribunales deberían proveer a aquéllas de información sobre cómo pueden llegar a una independencia económica. Cuando en los estudios se ha planteado qué aumentaría la seguridad de la víctima, siempre se ha concluido que, en primer lugar, sería la independencia económica. Una parte crítica en el plan de seguridad es la seguridad económica.

Mientras que la violencia doméstica se da en todos los grupos de mujeres, independientemente de su nivel socioeconómico, la huida aumenta dramáticamente en los grupos con recursos financieros y/o buena formación profesional. Muchas mujeres maltratadas con bienes propios o familiares se ven reducidas a una vida mísera porque su pareja controla todo el dinero y los bienes, pero en cuanto reciben algo de soporte y buscan abogado recuperan parte de su patrimonio, con lo que acaban escapando satisfactoriamente.

Es imperativo que todos los profesionales que informan a la mujer incorporen en su práctica mecanismos para preguntarle sobre su situación económica y sus planes de trabajo, ayudándola a crear, paso a paso, un plan de supervivencia que le permita conseguir independencia económica.

Muchos profesionales sanitarios y del Derecho pueden pensar que ésa no es su tarea, pero si les preocupa el riesgo de que la mujer y sus hijos vuelvan con el maltratador, deben asumir que un plan de acción económica y laboral es el mejor modo de aportar seguridad a la víctima del maltrato. Por lo menos estos profesionales deben conocer recursos auténticos adonde derivar a las mujeres. No siempre la Seguridad Social resuelve este problema, por lo que hay que conocer otros servicios y asociaciones.

Asegurar el cobro de las pensiones de los hijos aumenta la probabilidad de que éstos salgan de la pobreza y no tengan que volver con su madre a la casa paterna. Los maltratadores a veces utilizan el impago de la pensión de los hijos como medio de acoso y coacción a la mujer para forzarla a que vuelva.

- Pennsylvania encontró que el rasgo común entre los hombres que no pagaban las pensiones de sus hijos era la propensión a cometer crímenes de violencia doméstica.[4]
- Una causa primaria de pobreza infantil en Estados Unidos es el impago de las pensiones infantiles. Más del 80 % de los padres no custodios, o no pagan nada o pagan menos del 15 % de su presupuesto para el soporte del niño.

Hay que establecer un Fondo de Garantía de Pensiones Impagadas, que cubra el pago de éstas a los hijos, quedando el padre como deudor al Fondo de Garantía.

## Otras recomendaciones a la mujer

- Recuerda que a los profesionales de la salud mental (psicoterapia, psicología, psiquiatría), les has de preguntar si están dispuestos a hacer un informe sobre tu estado de salud mental o el de tus hijos, y sobre las secuelas de la violencia psicológica si las hay. Si te dicen que no están dispuestos cambia de profesional.
- Pídele un informe a tu médico de cabecera sobre su actuación médica contigo, y las veces que te ha tratado de algo ocasionado directa o indirectamente por los malos tratos.

▨ Tienes derecho a exigir que el médico que te atiende haga un parte de lesiones cuando vas a urgencias por una lesión causada por tu pareja. Si se niega, recuerda que puedes denunciarlo.

▨ Pregunta a tu asistenta social por ayudas a mujeres maltratadas.

▨ Pregunta por asociaciones que puedan ayudarte a buscar trabajo.

▨ También puedes solicitar una entrevista al fiscal de violencia doméstica más cercano.

▨ El Servicio de Atención a la Víctima (900 121 814 en Cataluña) te proporcionará asesoramiento jurídico y psicológico. Te explicará cómo funciona el juicio, te llevará a la sala donde se va a realizar para familiarizarte con el ambiente de los tribunales y te acompañará cuando tenga lugar el juicio. Ese día te mantendrán lejos del agresor, protegiéndote de él y dándote seguridad física al entrar en la sala. En Cataluña el Servicio de Atención a la Víctima depende de Justicia y en el año 2002 de las 1618 mujeres que demandaron asistencia, 880 casos (54,4 %) lo hicieron por violencia doméstica.

▨ Sería conveniente que te prepararas para el juicio con ayuda de tu terapeuta y de tu abogada.

## Recursos gratuitos contrastados en España para la violencia de género

THEMIS (Abogadas). Almagro, 28. Madrid. Tel.: 91 319 07 21
Ofrecen:

▨ Asesoría Jurídica Gratuita para mujeres

▨ Programas de asistencia jurídica gratuita a mujeres: impago, malos tratos

FEDERACIÓN DE MUJERES SEPARADAS Y DIVORCIADAS (Abogadas y terapeutas). Sta. Engracia, 128, bajo B. Madrid. Tel.: 914 418 555
Ofrecen:

▨ Asesoría jurídica

▨ Gabinete de atención psicológica

- Centro de recuperación integral para mujeres y niños víctimas de la violencia de género. Puede acceder a este recurso cualquier mujer del Estado español que haya sufrido violencia en el núcleo familiar.

**PARA AGRESIONES SEXUALES: C.A.V.A.S. (Abogadas, psicólogas y trabajadoras sociales).** O' Donnell 42, local. Madrid. Tel.: 91 574 01 10 y 91 574 32 64

Ofrecen:
- Asesoramiento jurídico
- Terapia individual y de familia
- Apoyo psicológico

# Recuperación
# psicológica

Te has mantenido fuerte en los momentos más difíciles, has sobrevivido a la violencia y has conseguido proteger a tus hijos. Parece que ya ha acabado la batalla; sin embargo, ahora surgen en ti todos los miedos y las penas que antes no te permitías sentir. ¿Qué sentido tiene la vida? ¿Podrás sentirte bien alguna vez? Tu autoestima como persona y mujer es muy baja, te sientes agotada por todo lo vivido, sin ganas de nada.

En este capítulo veremos:

- Primera fase: seguridad física para mujer e hijos
- Segunda fase: tratamiento del estrés postraumático si lo hay
- Tercera fase: autoestima y género
- Soy víctima del delito de malos tratos pero no soy una víctima

## Primera fase: seguridad física para mujer e hijos

El primer paso en tu recuperación es la seguridad. Antes de seguir un tratamiento propiamente dicho como víctima del maltrato, necesitas darte cuenta de que lo eres y poder imaginar cómo sales de esa situación. El primer requisito es un mínimo de seguridad y predictibilidad para ti y para tus hijos; necesitas poder actuar y planificar tu mundo. Los pasos a seguir son:

1. **Lograr que reconozcas:**

   ▢ **El maltrato,** mediante asesoramiento profesional, lecturas, películas, etc. Te has ocultado a ti misma durante mucho tiempo lo que estaba pasando. No querías aceptar que eras una mujer maltratada. Ya es hora de que, con total honestidad y las ayudas anteriores, hagas un repaso de todo lo vivido. Sólo si recuperas el recuerdo, aunque ello sea doloroso, podrás curar heridas y aprender a protegerte.

   ▢ **El Síndrome de Estocolmo:** has de detectar en ti misma la tendencia a justificar al maltratador, a minimizar el maltrato y a considerar a tu pareja superior a ti. Su criterio y su voluntad han prevalecido sobre la tuya durante mucho tiempo porque tú lo considerabas un «superhombre» al que decías amar profundamente. Has de desmitificar al «héroe» de tu película; en realidad, él es «el malo» y la «heroína» eres tú.

   ▢ **El riesgo de nuevas agresiones.** Si niegas el riesgo estás poniendo en peligro a ti y a tus hijos. Él puede vigilarte y esperar la ocasión adecuada para volver a agredirte. No hagas como el avestruz; lee las estadísticas de mujeres muertas por sus compañeros: la mayoría se habían separado de ellos o iban a hacerlo.

2. **Mantener un plan de seguridad.** Si no te esfuerzas en mantener las medidas de seguridad para ti y para tus hijos, te vuelves accesible para el agresor; situación que él puede estar esperando. También es necesario que actúes con sentido común y soluciones todos los problemas que te debilitan y te hacen frágil o dependiente. Necesitas cosas tan importantes como:

   ▢ Soporte humano: familia, amigos, profesionales, grupos de apoyo.

   ▢ Seguridad física: casa de acogida, teléfono móvil, alarmas disuasorias, etc.

- ▓ Seguridad legal: denuncia, orden de alejamiento, custodia. Recupera partes de lesiones y denuncias previas.
- ▓ Haz previsiones sobre el tratamiento de adicciones si las hubiera.
- ▓ Haz previsiones de futuro sobre escolarización para los niños, formación y búsqueda de trabajo.
- ▓ Necesitas descanso, intimidad, tranquilidad; ejercer actividades en las que tengas maestría da una sensación de estabilidad.

## Segunda fase: tratamiento del estrés postraumático (EPT) si lo hay

No siempre se produce EPT como secuela de los malos tratos, pero si aparece es bueno saber que hay diversos recursos terapéuticos de utilidad ampliamente reconocida. Según el consenso de los expertos hay dos grandes tipos de tratamiento del EPT: psicoterapia y medicación.

Algunas personas se recuperan sólo con psicoterapia, en tanto que otras necesitan una combinación de psicoterapia y medicación, y otras sólo medicación. Habla con tu médico sobre lo que te conviene más si crees que tienes EPT.

La psicoterapia sola será adecuada para ti si:

- ▓ Tus síntomas son leves.
- ▓ Estás embarazada o das el pecho.
- ▓ Prefieres no tomar medicación.

La medicación es necesaria a veces si:

- ▓ Tus síntomas son severos o han durado mucho tiempo.
- ▓ Estás pensando en el suicidio.
- ▓ Estás todavía en una situación vital muy estresante.
- ▓ Te han tratado con psicoterapia y no has mejorado.

**El primer paso de la recuperación es el relato oral de la vivencia traumática.** Hay que transformar la memoria traumática no verbal («el terror sin palabras»), en una narrativa personal de lo ocurrido; incluir el acontecimiento en la propia biografía. Para esto es necesario un vínculo seguro de empatía y soporte personal con la terapeuta.

Los actuales estudios del cerebro (PET: Positron Emission Tomography) han demostrado que los estímulos recordatorios del trauma activan de forma unilateral ciertas áreas del hemisferio derecho relacionado con las emociones, y del córtex visual derecho relacionado con los flashback visuales. Además, el hemisferio izquierdo presenta una desactivación significativa en el área de Broca, sustrato físico del lenguaje. ¿Qué significa lo anterior? Pues que al recordar los malos tratos se producen emociones intensas, se ven imágenes de las agresiones como si estuvieran ocurriendo en el momento y se tiene dificultad en poner palabras a lo que se está sintiendo.

El trauma deja huellas sensoriales y afectivas indelebles hasta que éstas se incorporan en una narrativa personal hecha de memoria verbal sujeta a grados de distorsión. La terapia consistirá en recuperar la memoria traumática para después modificarla y transformarla, ponerla en su propio contexto y reconstruirla con un relato neutral y comprensible. En terapia recordar es crear, más que repetir mecánicamente las memorias traumáticas. Por ejemplo, nunca sabemos si lo que contamos como nuestra infancia es lo que realmente ocurrió, o una mezcla de recuerdos parciales modelados con la versión que otras personas nos han dado de todo aquello. En el fondo da igual, lo que nos resulta útil es el relato estructurado de nuestra vida, con el que podamos explicar y explicarnos nuestra continuidad temporal. Esas palabras que hilvanan nuestros recuerdos nos permiten manejar las emociones asociadas a ellos. Una vez las sensaciones almacenadas en el hemisferio derecho son transcritas en una narrativa personalizada, ya están sujetas a las leyes que gobiernan la memoria explícita. Se obtiene una historia comunicable y sujeta a condensación, embellecimiento y contaminación.

Entre las distorsiones altamente recomendables está la resolución satisfactoria del conflicto, la imaginación de un final en el que la mujer se enfrenta satisfactoriamente al agresor logrando de alguna manera parar la agresión.

«Los pacientes con EPT tienen disminuida la habilidad de tolerar emociones fuertes. Este déficit dificulta una rápida recuperación. En vez de permitir que las emociones sigan su curso e informen al individuo de la experiencia vivida y del medio, las personas con EPT evitan los signos tempranos que preceden a la emoción, para no arriesgarse a agobiarse por las subsecuentes reacciones intensas. Otras veces hay una excesiva vigilancia e hipersensibilidad de los precursores de la emoción, iniciándose una serie de conductas de evitación, algunas sutiles y otras extremas».[5]

«Las personas con un EPT severo son incapaces de modular con efectividad la experiencia, responden a los estímulos afectivos con una intensidad apropiada sólo a situaciones traumáticas o apenas reaccionan a ellas. La creencia de que la tristeza y el miedo son inaceptables y/o incontrolables hará que me conmocione mucho más cuando surja una situación de alto componente emotivo y traumático. Una idea como ésta probablemente interferirá con la capacidad de procesar e integrar el suceso traumático. La terapia ha de incluir el reconocimiento y la aceptación de las propias emociones, y la comprensión de cómo los prejuicios (actitudes y creencias) afectan a nuestra percepción del mundo. El procesamiento e integración de los aspectos emocionales y cognitivos de la experiencia traumática son necesarios para evitar el desarrollo del EPT. Los pacientes tienen que volver a experimentar y expresar con un relato en «tiempo real» las reacciones emocionales vividas durante el trauma».[6]

**Psicoterapia.** Después de varias sesiones para un relato completo de lo sucedido se puede pasar a aplicar diversas técnicas terapéuticas según las necesidades y el momento de la mujer.

## TERAPIA COGNITIVA

- Información sobre el estrés postraumático. Es importante que aprendas sobre este trastorno para que no creas que te estás volviendo loca. Comprender la forma en que se manifiesta y lo que se puede hacer es el primer paso para resolver el problema.
- Disolución de creencias irracionales: culpabilidad, vergüenza, superioridad del agresor, inferioridad de la víctima, minimización de la agresión.
- Reconocimiento de los esquemas mentales. Todos tenemos esquemas de pensamiento que determinan los filtros con que percibimos y categorizamos el mundo. Es necesario no generalizar la experiencia traumática a la totalidad de la vida, viendo el mundo como un lugar peligroso y hostil. No hablar de un «destino fatal» ni ver agresiones donde no las hay.
- También es importante el reconocimiento de cómo se ha organizado la vida en torno de la evitación (aislamiento, alcohol, disociación, anhedonia). En el mismo ambiente terapéutico de confianza y seguridad en que se hace el relato de lo sucedido, se pueden describir las formas conscientes o inconscientes en que se ha eludido el recuerdo, y la manera en que se ha transformado la vida de la víctima para protegerse y evitar cualquier cosa, situación o persona que pueda evocarle el trauma.

## Manejo de los **pensamientos irreales**

Hay ideas erróneas que producen un deterioro y un malestar emotivos. En la Terapia Cognitiva se te enseña a cambiar las creencias irracionales que pueden alterar negativamente tus emociones. Por ejemplo, las mujeres maltratadas suelen sentirse culpables por todo lo malo que ocurre y se les enseña a identificar esos pensamientos recurrentes irreales y desagradables, a analizar cómo carecen de sentido y a adoptar otros pensamientos más equilibrados y realistas que además les resultan más satisfactorios. Es bueno hablar con una misma para reforzar los pensamientos positivos: «Si lo hice una vez lo puedo hacer otra». Puedes aprender también a parar la ideación repetitiva sobre el trauma, por medio de actividades intensas que capten tu atención.

## TERAPIA DE EXPOSICIÓN

Se te hace confrontar situaciones específicas conflictivas, lugares, gente, acciones, etc., que te recuerdan el trauma y te asustan aunque ya no haya peligro en ninguna de ellas y tu miedo no tenga un fundamento real. Esto se puede hacer de diferentes formas:

- **En la imaginación.** Se te pide que repitas varias veces el relato del trauma hasta que no te produzca un alto nivel de estrés. Es conveniente que antes hayas hecho una relajación.
- **En sueños.** Se entrena a la persona para que recuerde los sueños, aprenda a incubarlos y tenga sueños lúcidos (en ellos se sabe que se está soñando). Se enseña a modificar la actitud propia en el sueño, afrontando de forma victoriosa y liberadora la interacción con el agresor. Se pueden usar la relajación profunda y el trabajo con los sueños para «rehacer el guión». Con muchas mujeres y sobre todo con los niños es fácil el entrenamiento en el sueño lúcido. Hay diversas experiencias terapéuticas en el mundo que avalan este método como un tratamiento eficaz del estrés postraumático.
- **En la realidad.** Se te anima a ir a sitios, hablar con personas, realizar acciones que te atemorizan porque te recuerdan el trauma o te angustian.

A medida que revivas la situación traumática en cualquiera de las formas anteriormente descritas, verás que la ansiedad se va disipando. Fuérzate un poco cada vez a mantenerte un rato en la situación que te asusta en vez de escapar de ella.

La metodología que se suele seguir es una desensibilización progresiva: mediante relato, visualización, sueños y exposición parcial a aspectos del trauma, se vuelven a experimentar fragmentos del acontecimiento en un ambiente seguro y terapéutico. Se introducen aproximaciones graduales a los momentos más traumáticos. Se recomienda afrontar el miedo con nuevas actitudes para modificarlo.

Repetidas exposiciones a la situación traumática te ayudarán a interiorizar que ya no corres peligro y puedes manejarla. Se producirá una extinción de la respuesta ansiosa ante ese estímulo y cambiarás tus ideas negativas sobre tu capacidad de afrontar retos.

## INTEGRACIÓN DE LA PERSONALIDAD DISOCIATIVA

- Cuando se da una nueva situación estresante, la víctima desconecta de la realidad y vuelve a conductas primitivas o rituales realizadas durante el trauma (enuresis, encopresis, infantilización, excesiva dependencia, amnesia, rituales sexuales, rezos, etc.).

- El estrés intenso anula la memoria (el exceso de cortisol impide la recuperación de los recuerdos), interfiere con la adquisición de nueva información, impide la habituación. Las endorfinas bloquean el dolor, pero encapsulan la conciencia en exceso y contribuyen a anular la memoria (reacciones disociativas).

- La paciente entrenada puede detectar el momento en que desconecta y darse cuenta de cómo, en cierta medida, «elige» hacerlo. Si entonces el terapeuta estuviera presente debería devolver suavemente a la víctima al «aquí y ahora» mediante la palabra. Hay que hablar al «lado oscuro» e integrarlo. Los trastornos disociativos requieren un tratamiento de larga duración.

- Los animales de experimentación que sufrieron descargas eléctricas en una caja y luego fueron puestos en libertad, volvían a las cajas cuando eran sometidos a situaciones estresantes, aunque pudieran huir.

## OTROS TRASTORNOS

Las emociones y recuerdos encapsulados o no verbalizados se suelen manifestar a **nivel somático** (aparato digestivo, dolor crónico, síntomas cardio-pulmonares, síntomas genito-urinarios, etc.) o **conductual** (impulsos incontrolados: autodestructivo, suicida, conductas de riesgo, conductas sexuales exageradas, agresiones a otras personas, etc.). Es importante identificar las somatizaciones y expresar las emociones encubiertas.

También hay que prestar atención a los posibles *trastornos de la alimentación de tipo anoréxico o bulímico*.

Las *adicciones* dificultan el proceso de recuperación y complican más el problema. Son otra forma de escape, y hasta que no se tome la decisión de afrontar el recuerdo no se podrá empezar una auténtica recuperación de aquéllas. Es conveniente hablar con el médico y unirse a algún grupo de apoyo.

**Medicación.** Es probable que la mujer esté siendo tratada con psicofármacos cuando deja a la pareja violenta; en ese caso es recomendable tener en cuenta las siguientes sugerencias:

- **No hay que tomar** café, colas y excitantes si hay angustia, insomnio o pesadillas.

- **Es mejor evitar** un uso diario de tranquilizantes benzodiacepínicos (diazepam, alprazolam, clonazepam, lorazepam), pues crean adicción. Sí son recomendables para situaciones puntuales (juicio, entrevistas, etc.) y crisis de pánico si las hay. A corto plazo se recomiendan los tranquilizantes no benzodiacepínicos. Son útiles para el insomnio, para disminuir la excesiva activación del sistema autónomo, las pesadillas y los flashback. Impiden la cronificación del estrés.

- **Una buena opción** es la medicina alternativa: acupuntura, homeopatía, fitoterapia, fisioterapia, relajación y meditación.

- **Hay un consenso general** en cuanto al tipo más adecuado de antidepresivos; se recomiendan en primera elección los ISRS inhibidores de la recaptación de serotonina, como la fluoxetina, la paroxetina, la fluvoxamina y el citalopram.

- **En segunda elección** se recomiendan antidepresivos como la venlafaxina y la nefazodona.

- **Estos medicamentos** permiten que la mujer atienda a las tareas diarias y olvide la desesperanza. Tienen un profundo efecto en el encapsulamiento. Los efectos positivos empiezan unas semanas después del comienzo de su administración.

- **Los antidepresivos** tricíclicos e IMAO apenas mejoran los síntomas del estrés postraumático. Tienen más efectos secundarios que los ISRS.

- **Tranquilizantes y antidepresivos** disminuyen los sueños (fase REM). Al soñar menos hay menos pesadillas, por lo que parece mejor el estado mental por las mañanas. Sin embargo, la elaboración del conflicto que se produce con los sueños, queda «congelada» hasta que disminuyan los psicofármacos.

Si se empieza a tomar medicación, ésta no se puede dejar sin consultar al médico. Si el EPT es crónico (dura más de seis meses), hay que tomar medicación durante un mínimo de doce meses.

## Tercera fase: autoestima y género

Hay muchas cosas que puedes aprender y hacer para recuperar tu autoestima como ser humano y como mujer. Hay muchos cursos, grupos y actividades que pueden ayudarte y hacerte crecer:

- **Haz terapia** con alguna psicoterapeuta feminista (psicoanálisis no).

- **Conecta** con un grupo de mujeres con las ideas claras y que hagan voluntariado en alguna ONG.

▪ **Haz cursos** sobre reconocimiento y expresión de emociones, asertividad, resolución de conflictos, etc.

▪ **La vida** no acaba en la violencia de género: recupera el sexo y el baile.

▪ **Despreocúpate** un poco de la casa y haz algo creativo.

▪ **Piensa** en las formas en las que él te ha aislado. Intenta recuperar a los amigos perdidos, refuerza tus vínculos familiares.

Los impedimentos más comunes para pedir soporte, según la mujer maltratada son: «Me da vergüenza»; «No quiero molestar»; «Creo que tendría que salir adelante por mí misma»; «No sé a quién preguntar». No te pongas más excusas y empieza a buscar soporte e información sobre trabajo, ayudas económicas, grupos de soporte, cuidado de los niños y organizaciones para mujeres maltratadas.

**Las ideas que tu excompañero maltratador te inculcó te siguen influyendo.** Puedes creer que ya has superado el maltrato y, sin embargo, seguir repitiendo en tu diálogo mental interno las afirmaciones negativas sobre ti que constantemente te repetía él.

Estos pensamientos te provocan sentimientos y conductas de las que tú misma te extrañas. Aprendiendo a reconocer los pensamientos que te hacen sentir inferior o dependiente de tu excompañero puedes manejar mejor tu vida y tu estado de ánimo. El lavado de cerebro que te llevó a un falso enamoramiento (porque el verdadero amor es libertad) puede estar ahí agazapado entre tus pensamientos. Si detectas ese cáncer psíquico y paras esos pensamientos sustituyéndolos por afirmaciones de autoestima, seguridad e indiferencia hacia el agresor, empezarás a renacer de las cenizas y descubrirás que una vida plena te está esperando.

## ¿TE ENCUENTRAS PENSANDO O SINTIENDO A VECES ALGO COMO...?

- La protección y el amor de mi pareja fueron más importantes que cualquier daño que pudiera causarme.
- Yo le provocaba.
- Odio las partes de mí que hacen que él me critique o se enfade conmigo.
- Cualquier amabilidad de mi pareja crea en mí la esperanza de que las cosas irán mejor.
- Siento que no podría vivir sin mi pareja.
- Me encuentro defendiendo y excusando a mi pareja cuando hablo de él con otros.
- Sin mi pareja la vida no tiene sentido para mí.
- Siento como si me estuviera volviendo loca.
- No sé quién soy yo.
- Hay cosas que me ha hecho mi pareja de las que prefiero no acordarme.
- No me siento bien con quien soy.
- Me siento intranquila e insegura.
- Me siento deprimida y triste.
- Encuentro difícil concentrarme en tareas.
- Es difícil para mí tomar decisiones.

Te están influyendo también las ideas preconcebidas sobre lo que es una mujer, lo que es un hombre, lo que es el amor y lo que es la violencia. Son los tópicos y las discriminaciones de una sociedad enferma y de una cultura sexista. Tu problema no es tu problema, sino el de más de la mitad de la humanidad sojuzgada por el patriarcado. Te están influyendo los lemas que el machismo ha divulgado y en los que te has educado. ¿Hay en tu diálogo interno pensamientos similares a éstos?:

- Me gustan los hombres muy machos que llevan los pantalones en la relación.
- Los hombres muy hombres necesitan sexo y tienen que desfogarse.

- Una verdadera mujer sabe cuál es su lugar.
- El destino de una mujer es enamorarse, casarse y tener hijos.
- Las mujeres necesitamos un hombre que nos proteja.
- A veces la mujer se busca que su marido la pegue.
- El hombre trae el dinero y la mujer cuida de la casa y los hijos.

Detecta inmediatamente todo ese diálogo interno y recházalo porque es falso, es la mentira que te han hecho creer: tú no eres un ser humano de segunda clase.

*Tu vida tiene sentido aunque no tengas un hombre al lado.*

Espero que la lectura de este libro te proporcione las suficientes frases afirmativas y te libere de todos los lavados de cerebro. Eres la superviviente de la violencia de género, eres la protagonista de la epopeya más grande jamás contada hasta ahora y que espero que se cuente alguna vez. Eres la heroína auténtica de la Historia.

---

- He sabido salir del terror de un hombre sexista y violento.
- He sabido sacar adelante a mis hijos y protegerlos de un padre violento.
- He roto con la propagación de la violencia enseñando a mis hijos un modelo de convivencia igualitaria, respetuosa y libre.
- Soy una mujer fuerte y valiente enriquecida por esta dura experiencia, y capaz de ayudar en el futuro a otras mujeres.
- Cada día doy un paso más hacia una vida plena para mí y para mis hijos.

---

¿Tienes pensamientos parecidos a los del test «Silenciando el yo»?

- No expreso mis sentimientos en una relación íntima cuando sé que ello causará un desacuerdo con mi pareja.
- Amar significa poner las necesidades de la otra persona delante de las propias.

- Considerar que mis necesidades son tan importantes como las de la gente a la que quiero es egoísta.
- Tiendo a juzgarme a mí misma por como otras personas me ven.
- Siento que de alguna manera tengo que actuar para gustar a mi pareja.
- Cuando las necesidades u opiniones de mi pareja entran en conflicto con las mías, más que defender mi propio punto de vista, casi siempre acabo estando de acuerdo con el de él.
- Cuando tomo decisiones, los pensamientos y las opiniones de otras personas me influyen más que mis propios pensamientos y opiniones.
- Raramente expreso mi cólera a los allegados.
- Siento que mi pareja no conoce mi ser real.
- Nunca parezco dar la talla en los objetivos que establezco para mí.

Plantéate expresarte y dar prioridad a tus necesidades. Cree en tu intuición. Elabora frases de afirmación que plasmen esta voluntad.

## Ejercicios **de autoestima y género**

- Lee con atención los capítulos que seguirán sobre el Síndrome de Estocolmo y escribe todos los tics que todavía te quedan de él. Haz una frase curativa para cada uno y comprométete a actuar en consecuencia.
- Repasa el test «Silenciando el yo» del Capítulo 2 y pon fecha para dar un primer paso en las tres actividades de la última afirmación.
- Si haces una pregunta en un curso o conferencia no pidas perdón; saca pecho, tira hacia atrás los hombros, mira a los ojos y habla claro, fuerte y segura.
- Haz un curso de defensa personal.

Aprende las pautas dadas en el capítulo 1 sobre «Comunicación igualitaria» y «Resolución de conflictos». Practícalas. Cuando las hayas incorporado a tu vida enséñalas a tus hijos, sin palabras, con hechos.

**¿Cuándo es el amor una dependencia patológica?** El amor de pareja tiene una primera fase, el enamoramiento, en la que es normal un comportamiento similar al adictivo por parte de ambos componentes de la pareja. En esta fase se sufre una dependencia intensa de la otra persona y se vive como insoportable la posibilidad de ruptura. Se trata de un proceso fisiológico al que siguen un clímax de pasión y una tranquilidad afectiva más o menos duradera.

Liebowitz, psicólogo de la Universidad de Columbia, Nueva York, compara las reacciones y emociones de los enamorados con las de los drogadictos. En psiquiatría se llama «crisis hipomaníaca» al estado de optimismo, euforia, confianza ilimitada, curiosidad, menosprecio peligroso de los obstáculos, hiperactividad, ausencia de fatiga, disminución del sueño y del hambre, fallos de la apreciación objetiva, descubrimiento de cualidades insólitas a hechos comunes y encapsulamiento perceptivo.

Hay dos causas para una crisis hipomaníaca en una persona mentalmente sana: las anfetaminas y el enamoramiento; en ambos casos los efectos son similares a los anteriormente descritos. Esto llevó a Liebowitz a postular la existencia de una anfetamina endógena que se dispararía al principio de la atracción amorosa. En la ruptura de la relación se produce un «mono de amante», queja neuronal súbita e intensa al desaparecer la estimulación sostenida. Verdadera abstinencia neuroquímica atenuada por la administración de endorfinas que se produce también ante la separación de otros seres queridos.

Las endorfinas son nuestra recompensa natural en relaciones de afecto sin enamoramiento, en meditación, al correr, al reír, al disfrutar de la música o de un paisaje, como premio al aprendizaje, etc. «Endorfina» significa 'morfina interna' y, de hecho, la morfina funciona como droga porque su molécula se parece a la endorfina.

Las endorfinas producen euforia, analgesia (el dolor desaparece), anestesia (la conciencia del cuerpo desaparece), aumento del rendimiento, aumento de la atención o intensa alerta en relajación, aumento del aprendizaje (la morfina no produce los últimos efectos). Las endorfinas retrasan la habituación a un estímulo repetitivo.

Vemos, por tanto, que las endorfinas son el neurotransmisor de la ternura, del afecto de la pareja que lleva muchos años conviviendo y se quiere de forma tranquila pero profunda, de la persona que hace meditación y disfruta de cada detalle de la vida. Un cerebro bien regado con endorfinas puede superar con facilidad crisis como el abandono de su pareja, la pérdida del trabajo, la muerte de un ser querido, etc.

Se cree actualmente que las relaciones de afecto recíproco sin enamoramiento no provocan la secreción de anfetamina endógena, sino de endorfinas y benzodiacepinas internas. Éstas producen un placer suave y continuado que da bienestar y equilibrio a la persona. Se ha comprobado que endorfinas y benzodiacepinas internas (gaba-benzodiacepinas) inhiben el sistema libidinoso, por lo que lamentablemente en parejas muy bien avenidas puede acabar produciéndose una lamentable monotonía erótica.

Vemos, pues, que es normal durante el enamoramiento sentirse adicta a la pareja, pero esa intensa dependencia se ha de calmar a medida que avanza la convivencia; si no es así es que algo no funciona. El enamoramiento de los primeros tiempos sólo se prolonga si no es correspondido o hay problemas de algún tipo. El cariño ha de evolucionar hacia una ternura tranquila y cómplice.

Cuando, en aras del amor, se sacrifican los valores, la libertad o la dignidad; cuando se quiere más al otro que a una misma, algo no funciona; «ama al prójimo como a ti mismo». Cuando a la vez se ama y se teme a la pareja, algo muy grave está ocurriendo. Eso no es amor, sino dependencia y sumisión.

**Disfrute de la vida y maestría.** Las personas necesitan experimentar su maestría y disfrute en actividades como deportes, excursiones, aprendizajes artísticos o profesionales, y otras experiencias gratificantes. Hablar del trauma no es suficiente: las víctimas de la violencia tienen que realizar acciones que simbolicen su triunfo sobre la indefensión y la desesperanza. Escribir un libro, participar en acciones políticas o ayudar a otras víctimas puede ser el principio de una nueva vida. Es importante que sientas que haces bien algo; ejercer actividades en las que se tiene maestría mejora la autoestima.

Hay indicadores de calidad de vida que permiten saber cuándo la mujer se ha recuperado:

- Recupera el deseo sexual. Puede imaginarse viviendo una relación de pareja sana y plena.
- Se ríe. Recupera el sentido del humor.
- Puede imaginarse ejerciendo satisfactoriamente una profesión. Se siente capaz y autosuficiente.
- Sabe decir «no», defender sus puntos de vista, expresar sus sentimientos.

## Recomendaciones

- **Aprende el desapego.** Aumenta tu resistencia afectiva a la frustración. Aprende a dejar pasar sentimientos y pensamientos sin identificarte con ellos, observándolos como una espectadora. Atraviesa el sufrimiento sin luchar contra él, si lo aceptas pasa sin dejar huella. Acepta el rechazo y la crítica, al igual que el halago y la admiración, como algo pasajero y sin consistencia. No hay nada eterno, ninguna emoción permanece. Haz meditación.

Cuando veas claro que ya no tiene sentido el vínculo con tu pareja no prolongues el final, no hables con él por teléfono, no te acuestes con él, no fantasees con su cambio. Acepta el final. No hay vuelta atrás, déjalo de golpe. Si has de contactar con él por los hijos o por un recado, busca un intermediario prudente y desvincúlate.

▨ **Aprende a disfrutar del mundo sin compañía.** Explora, investiga. Hazte autosuficiente y autónoma, aprende a vivir por ti misma y para ti misma. Desarrolla tu autocontrol, vence tus miedos, derriba tus límites, crece. Pasea sola, ve sola al cine, viaja sola.

▨ **Explora campos nuevos de la existencia.** ¿Qué profesión, estudios, habilidad o deporte te gustaría aprender o desarrollar cuando tengas algo de tiempo?

**1.** Escribe una meta fácil en cada ámbito:
  • Intelectual y/o profesional
  • Social y/o lúdico
  • Artístico y/o deportivo
**2.** Escribe un primer paso sencillo hacia cada meta.
**3.** Escribe la fecha en que vas a dar ese paso.

---

Antes que esposa o madre eres mujer.
Antes que mujer eres persona.
Conócete a ti misma.

---

# Soy víctima del delito de malos tratos pero no soy una víctima

En 1988, Kelly y Radford pusieron en tela de juicio el uso de la palabra «víctima» al referirse a mujeres que habían sufrido agresiones sexuales, prefiriendo el término «superviviente» porque daba a aquéllas un carácter más poderoso y activo. La superviviente, según el punto de vista anterior, «gana su estatus después de un proceso de toma de responsabilidad para acabar con los patrones disfuncionales de sus vidas, desistiendo de la autoculpa, y centrándose en salir viva de un acontecimiento traumático».[7]

No sólo las feministas rechazan llamar «víctima» a la mujer maltratada; también los negros, por ejemplo en África del Sur (Comité Sudafricano Truth & Reconciliation), rehuyen este nombre: «El peligro adicional y real al utilizar estas etiquetas es el de crear una nación de víctimas, en el mejor de los casos inútiles y en el peor indefensas, más que una nación de orgullosa de supervivientes que están descubriendo un territorio nuevo y yendo más allá».

Ambos grupos humanos, negros y mujeres, son parecidos en sus mecanismos de adaptación y resistencia al grupo opresor, tal como se evidencia en el trabajo de Helen M. Hacker «Women as a minority group».[8]

En ambas manifestaciones de rechazo al uso de la palabra «víctima» subyace un desconocimiento de los mecanismos profundos de la victimización que rebela científica y lúcidamente Dee L. R. Graham en su libro *Loving to survive*.[9] Los estudios de Graham ponen de manifiesto que «lo que superficialmente podría considerarse como una actitud pasiva y de sometimiento es un recurso de supervivencia de todos los seres humanos ante una amenaza vital de la que no se puede escapar.

No son las víctimas las que moldean una identidad como tales; es la situación de secuestro y amenaza ineludible la que las lleva a comportarse y pensar como lo hacen.

La gente que desarrolla el síndrome no lo hace porque tenga una personalidad defectuosa o débil, porque haya sido abusada previamente o porque haya sido socializada de esa forma. Son los secuestradores quienes tienen un defecto en su personalidad y/o antecedentes de abuso. El síndrome parece ser una respuesta universal a la violencia de la que no se puede escapar. Se observa en humanos y en animales, jóvenes y viejos, hombres y mujeres, y gentes de diferentes culturas. Algunas lectoras pueden preferir el término «superviviente». Al igual que Diana Russell[*] (1986), usa-

---

[*] La Dra. Diana E. H. Russell es una de las mayores autoridades a nivel mundial en violencia sexual contra mujeres y jóvenes. Ha investigado y escrito numerosos libros sobre esta temática durante los últimos 25 años.

mos «víctima» para enfatizar los factores situacionales victimi-
zantes que impactan en la persona, sobreviva o no, muestre buenas habilidades de supervivencia, y respuesta victoriosa o no.
Esperamos que esta palabra ayude a reducir la culpabilización de
la víctima, aumentando nuestra apreciación del poderoso impacto de las variables situacionales en la psicología de las personas.
«Usar la palabra 'víctima' puede ayudarnos a recordar que son las
situaciones que crean victimización las que tienen que ser cam-
biadas, no las mismas víctimas».[10]

## El término «víctima» bajo el punto de vista de la victimología

«Víctima» significa 'persona que, individual o colectivamente, ha
sufrido daño, incluyendo lesiones físicas o mentales, sufrimiento
emocional, pérdida económica o agravio sustancial de sus derechos fundamentales, a través de actos u omisiones que violan las
leyes criminales, incluyendo aquellas que proscriben el abuso criminal de poder'.[11]

La definición de «víctima», derivada de la anterior, que usa la
Sociedad Internacional de Victimología es: 'Quien ha sufrido una
victimización causada por, o resultante de, un acto criminal o un
abuso de poder'.

El término «superviviente» es confuso porque se puede haber
roto el vínculo traumático externo y mantener el vínculo interno.
Es necesaria una recuperación integral que afronte los factores de
victimización que afectan la conducta y personalidad; un proceso terapéutico que puede requerir psicoterapia, formación en violencia de género y acaso algún psicofármaco (prudentemente
administrado). La víctima no es una enferma, pero tiene secuelas
físicas y psíquicas que pueden ser curadas. Hablar en términos
de supervivencia es reducir a blanco o negro una gama infinita de
grises.

Dado que la mujer maltratada que ha roto el vínculo físico con
el maltratador, generalmente ha de atravesar en su proceso de
liberación un doble itinerario *terapéutico* y *jurídico*, no podemos

prescindir del término «víctima». Tratar la victimización y denunciar el delito son pasos inevitables a seguir. Hay que mostrar a la mujer que los síntomas y distorsiones que padece son consecuencia de un delito y no de una enfermedad mental; que el problema no lo genera ella, sino el abuso de poder criminal con el que hay que acabar. Ser víctima de un delito no resta dignidad, ni implica ser pasivo, cobarde o victimista.

Las víctimas de un ataque terrorista, de un robo o de un accidente de coche no se avergüenzan de ser llamadas así. Se da por supuesto que nadie va a pensar que tenían una debilidad de carácter, predisposición previa o falta de valor que provocara a los agresores. Ninguna de estas víctimas pudo controlar la situación y eso no se considera un estigma social para ellas.

«Las mujeres no son 'víctimas naturales', sino que son sometidas a victimización; más enfáticamente, ellas no son «víctimas consentidoras».[12] (Committee for equality between women and men, Consejo de Europa).

## Recomendaciones prácticas lingüísticas
### NOMBRAR AL DELITO Y AL AGRESOR

Cuando un hombre es atropellado por un coche, a partir de ese acontecimiento no se habla de él como de «un hombre atropellado»; damos por supuesto que la responsabilidad del accidente fue del que le atropelló y no de la víctima, y que ese fue un hecho puntual que no va a marcar la vida de ésta para siempre. Sin embargo, cuando una mujer es maltratada por un hombre sí se habla de ella como de «una mujer maltratada»; hemos transformado la acción criminal del hombre en una etiqueta fija para la mujer. El lenguaje no es inocente; favorece siempre al grupo dominante, desdibujando la opresión de éste y transformándola en un acontecimiento socialmente «fisiológico».

Decir: «Soy (o es), una mujer maltratada» coloca a la mujer en el centro de gravedad de la oración. Sugiere que «ser maltratada» es una característica casi innata de la mujer y transfiere la responsabilidad del maltrato del agresor a la víctima. Si se quiere usar esta expresión hay que añadir, por lo menos, «por mi marido (novio, etc.)», ya que si no estamos contribuyendo a enmascarar al criminal y aceptamos una etiqueta que nos estigmatiza.

Si el vínculo traumático ya acabó hay que evitar usar el presente; en vez de: «Soy una mujer maltratada», decir: «Fui maltratada por mi novio».

Al referirnos a mujeres maltratadas como víctimas es preferible añadir «de un delito de malos tratos». La palabra «víctima», tal como se ha glosado en este capítulo, puede adquirir un sentido peyorativo si no se especifica «de un delito». Mucho mejor es completar la frase con «cometido por mi exmarido», nombrando al autor del delito.

### USO DE LA VOZ PASIVA

El uso de la voz pasiva «He sido maltratada» o de la expresión «He sufrido malos tratos» convierte al maltrato en obra de un destino difuso, enmascara al auténtico sujeto de la oración y transmite la sensación de fatalidad inevitable. Es mejor usar voz activa que pasiva: «Un hombre (nombre y apellidos del agresor) me violó», en vez de «Fui violada» o «Me violaron», como si los hados y el destino se hubieran conjurado contra mí.

### FRASES DENUNCIA

Siempre que sea posible porque nombremos el maltrato, hay que dar nombre y apellidos del agresor. Aunque no estemos en un ámbito judicial, tenemos derecho a decir nuestra verdad y acusar al que abusa del poder. No hay que tener miedo a denunciar el delito y la crueldad. La víctima de maltrato que puede expresarse así está avanzando en su curación del Síndrome de Estocolmo.

## Cambios recomendables **en expresiones**

| | |
|---|---|
| Soy una víctima | Fui víctima de un delito de maltrato |
| Soy una mujer maltratada | Mi exmarido (nombre y apellidos del agresor) me maltrató |
| Fui violada | Un hombre (nombre y apellidos, posición social) me violó |

**Atribución defensiva.** Originariamente, «víctima» significaba 'ser vivo, inocente y virtuoso sacrificado a los dioses'. Nuestra cultura patriarcal dirigida al triunfo y al éxito competitivo considera vergonzoso ser una víctima, menosprecia a los que pierden el control, fracasan y son sacrificados. Pero es de ilusos o adolescentes creer que la vida puede ser controlada en su totalidad; nuestra capacidad de intervención en los acontecimientos es mínima, aunque no despreciable. Todos hemos sido víctimas de personas o circunstancias en alguna ocasión, todos hemos perdido el control en alguna ocasión… y tememos ser despreciados por ello en alguna ocasión.

Este miedo a que nos califiquen de débiles, pasivos o perdedores genera en nosotros lo que se llama una «atribución defensiva». Intentamos distanciarnos de aquellos que parecen víctimas, diciéndonos que nosotros somos distintos, que a nosotros no nos pasaría lo mismo, que somos «asertivos», «activos» y «poderosos». No quiero con ello decir que el victimismo sea aconsejable, en absoluto, pero sí que hay valores como la humildad, la sencillez, la generosidad, la mansedumbre y la docilidad que en una sociedad futura igualitaria recuperarán su sentido. Todavía no conocemos lo que es *ser mujer en libertad*.

# Recuperación
## como madre

Has perdido el control sobre tus hijos, éstos dan la razón al padre y te descalifican, o bien se sienten culpables por no protegerte cuando él te pega o te insulta. Tienes que recuperar (o crear por primera vez) una buena relación como madre, ya que reconoces que unas veces eres muy permisiva con ellos y otras muy dura. Les chillas y no les dedicas la atención que se merecen porque toda esta situación derivada del maltrato te supera. Percibes en ellos reacciones violentas hacia ti parecidas a las del padre.

En este capítulo veremos:

- ▨ Efectos de la violencia doméstica en la madre y repercusión en los hijos
- ▨ Desarrollla la autocompetencia de tu hijo
- ▨ Reconocimiento y apreciación de tu hijo

## Efectos de la violencia doméstica en la madre y repercusión en los hijos

Has salido o estás saliendo de la violencia doméstica. Tus hijos la han sufrido directamente o la han presenciado. Sabes que están afectados por ello al igual que tú, pero estás desconcertada, no te respetan y no sabes cómo orientar tu relación como madre.

Las metas que debes ponerte con respecto a tus hijos son:

▪ Comprender el impacto que la violencia doméstica tiene sobre los hijos.
▪ Aprender a comunicarte como si los conocieras de nuevo.
▪ Hablar con ellos de la violencia doméstica sufrida y de lo que es la violencia de género.
▪ Fortalecer tu propio liderazgo familiar.
▪ Estrechar tu vínculo con ellos.
▪ Aprender a resolver conflictos y transmitirles ese aprendizaje.
▪ Buscar soporte terapéutico para ellos si fuera necesario.

Para conseguir todo lo anterior tienes que empezar por comprender los efectos de la violencia doméstica en ti misma y su repercusión en tus hijos. Es posible que dichos efectos sean:

▪ Estrés (ya hemos tratado el tema del estrés en el capítulo anterior).
▪ Negación de los efectos de la violencia en los hijos.
▪ Culpabilidad. La madre se culpabiliza de la violencia.
▪ Permisividad y sobreprotección para compensar a sus hijos de la violencia. Da a los niños todo lo que piden porque se siente culpable.
▪ Cólera desviada. Incapaz de devolver enfado al maltratador, lo devuelve a los hijos.
▪ Sexismo.

**Negación de la violencia.** Muchas madres maltratadas dicen que la violencia doméstica no ha afectado a sus hijos porque no la presenciaban directamente. Está demostrado que, contra lo que los padres suponen, los hijos escuchan y entienden más de lo que parece.

Es normal para una mujer maltratada pretender que sus hijos no se han enterado de casi nada y preferir no hablarles de ello porque «es mejor que olviden». Ella se pone múltiples excusas:

- «Lo he intentado pero no me prestaba atención».
- «Me hace sentir incómoda».
- «Me da miedo destapar la olla de truenos».
- «No sé qué decirles».
- «No tengo tiempo».
- «Me da vergüenza».
- «Tengo miedo de empeorar las cosas».
- «No creo que sea tan importante».
- «Ya pasó, para qué liar las cosas ahora».
- «No quiero que ellos odien a su padre».
- «No lo entenderían».
- «Ellos no tienen ni idea de lo sucedido».
- «Son demasiado jóvenes para oír hablar de ello».
- «Sólo los asustaría más».
- «Se lo contarían a la gente».

### ¿CÓMO PUEDES HABLAR DE LA VIOLENCIA CON TUS HIJOS?

Negar la violencia asusta y confunde más a los niños. Es mejor hablar con ellos cuando hagan preguntas o suceda algo relativo al padre. Hay que escucharles, preguntarles cómo se sienten, mostrarles que les comprendemos, que ellos no tenían culpa de nada, que los queremos, que intentaremos mantenerlos a salvo, que la violencia no es buena, reconocer que es normal tener miedo. Hay que descubrir cómo evitan recordar lo que les da miedo, qué tics o pesadillas les quedan de la violencia.

Si no quieren hablar esperaremos al momento adecuado. Actuaremos siempre de forma no violenta y sin amenazas.

### Impacto de la negación de la violencia en los niños

Si hacemos como que no ha pasado nada:

- Los niños aprenden que la violencia es normal.
- Tienen miedo de hablar de la violencia.
- Están confundidos, no entienden.
- Se culpan a sí mismos.

- Aprenden a negar sus sentimientos y a no hablar de ellos.
- Piensan que están locos.
- Se sienten solos, diferentes de sus amigos.
- Creen que es malo preguntar sobre la violencia.
- Creen que la mujer es inferior al hombre.
- Creen que el hombre tiene derecho a maltratar a la mujer.
- Creen que la violencia es una buena forma de resolver conflictos.
- Creen que hay seres humanos de primera clase y otros de segunda.

## Los niños necesitan:

- Poder hablar a alguien de confianza sobre sus sentimientos.
- Aprender formas de estar seguros y a salvo.
- Sentir que controlan la situación: «Si voy por la calle, ¿qué pasará?».
- Sentir que es normal estar enfadado con el padre agresor y, no obstante, quererlo. Poder expresar su enfado de manera no destructiva y sin sentirse culpables. Se puede querer a alguien y condenar sus actos.
- Saber que está bien querer al padre y a la madre.
- Saber que no son culpables de no defender a la madre, ni de las discusiones entre el padre y la madre.
- Saber que la vida es imprevisible, pero que pueden hacer planes para el futuro y estar seguros en su vida.
- Crear un plan de seguridad con ayuda de alguien de confianza.
- Crear horarios y rutinas que les ofrezcan la sensación de orden y estabilidad.

## ¿Qué necesidades crees que tienen tus hijos? ¿Qué les quieres decir cuando hables con ellos sobre la violencia?

Se podría llegar a un acuerdo con el padre cuando se pactan las visitas a los hijos, en el que se comprometiera a decirles algo como:

- «Mi conducta no fue correcta, la violencia no es buena».
- «Soy el único responsable de lo que hice».
- «No fue culpa tuya».
- «No fue culpa de tu madre».
- «Siento que hayas presenciado u oído aquello».
- «Escucharé todo lo que quieras decirme».
- «Es natural que sientas miedo de mí; yo en tu caso sentiría lo mismo».
- «Estoy recibiendo un tratamiento para no volver a comportarme así».
- «Yo no soy superior ni mejor que tu madre como persona».

**Culpabilidad.** Tal como vimos al hablar de Síndrome de Estocolmo, las mujeres maltratadas y aisladas de otros puntos de vista se creen lo que los maltratadores les dicen y acaban sintiéndose culpables por algo que hicieron o dijeron, o por algo que no hicieron o no dijeron, es decir, culpables del maltrato. Se culpan a sí mismas de la violencia que sufren y de las consecuencias de ésta en sus hijos.

Cuando la mujer se siente mal por las experiencias dolorosas y difíciles que pasan los hijos, es una reacción normal ser permisiva con ellos para enmascarar su sufrimiento.

### DESEMBARAZARSE DE LA CULPA

Muchas madres que han sido maltratadas aceptan las acciones abusivas de sus hijos hacia ellas porque ellas mismas se culpan de la violencia. Si se abandona la culpa es más fácil poner límites a los hijos y mejora la relación con ellos.

El primer paso es darse cuenta de los pensamientos de culpa:

- «Lo tendría que haber dejado al principio».
- «Tendría que haberme callado».
- «No tendría que haberle enfadado».
- «Si fuera una buena madre habría seguido con él».
- «¿Cómo he podido arrastrar a mis hijos a esto?».
- «Mis niños están mal por la violencia y eso es culpa mía».

Estos pensamientos te hacen sentir culpable, desesperanzada e incapaz.

Puedes sustituir esos pensamientos por otros más realistas y positivos:

- «Lo hice lo mejor que pude».
- «Nunca tuve culpa por la violencia».
- «Mi expareja es responsable de su propia conducta y no hay nada que yo pueda hacer para cambiarlo».
- «Hice todo lo que pude para proteger a mis hijos».

**Permisividad.** La madre quiere compensar a sus hijos por la violencia que viven o han vivido, y de la que se siente culpable. Tiene miedo a imponer una disciplina porque el compañero la ha amenazado con denunciarla como maltratadora y pedir la custodia de los hijos. Tiene miedo a que los niños se porten mal delante de su padre por las represalias de éste contra ella. Le resulta difícil mantener las normas. Rescata a los niños de la disciplina abusiva paterna. Los niños se burlan de ella y no la respetan. La mujer maltratada cree que es una madre nefasta.

---

Piensa en una situación en la que hayas sido muy permisiva con tus hijos porque te sentías culpable por la violencia.

Describe brevemente la situación:

- ¿Qué pensamientos negativos de culpa tenías?
- ¿Qué sentías?
- ¿Cómo afectaron tus pensamientos y sentimientos a tu comportamiento con tus hijos?
- ¿Hay algún pensamiento más realista y positivo que te hubieras podido decir?
- ¿Qué límites tendrías que haber puesto a la conducta de tus hijos?

## ESTABLECIENDO LIDERAZGO CON TUS HIJOS

Cuando no ponemos límites a nuestros hijos o permitimos que actúen sin respeto no les estamos ayudando. Entonces nos podemos pasar al otro extremo: enfadarnos con ellos, chillarles y ser muy duras. Estamos hartas y podemos ser muy punitivas.

Si no les exigimos siempre el cumplimiento de las normas que les ponemos, si nosotras mismas no las respetamos, las cambiamos o bien les imponemos normas incoherentes, estamos confundiendo a los niños. Ellos aprenden que no tienen que ser responsables por su conducta, lo mismo que les enseñaba su padre. Si les pegamos estamos reafirmándoles en la supremacía de la violencia como forma de resolución de conflictos. El maltrato del padre hacia la madre ha normalizado la visión del castigo físico. Ven que el padre se sale con la suya y consigue que la madre le obedezca.

Conclusiones que puede sacar un niño:

- «Mi padre pega a mi madre y mi madre me pega a mí, por lo tanto, pegar es un buen método para conseguir que la gente haga lo que tú quieres».
- «La gente que es fuerte y corpulenta tiene derecho a imponerse pegando a los más pequeños o débiles».
- «Está bien pegar a alguien que quieres».
- «Un hombre tiene derecho a pegar a una mujer».
- «Cuando pego a alguien es que se lo ha buscado».

Si la madre pega al hijo cuando se porta mal y le dice: «Te pego porque te has portado mal», el niño aprende que a la gente la pegan cuando se lo merece, y que quien pega no es responsable de pegar.

## PAUTAS DE RESOLUCIÓN DE CONFLICTOS CON LOS HIJOS

Los padres maltratadores tienden a ser punitivos y las madres maltratadas tienden a ser permisivas. Hay ocasiones en que los padres maltratadores intentan demostrar que la madre es «la mala de la película» y transforman todo intento materno de imponer unas normas de convivencia en una crítica a ella delante de los hijos, como si fuera muy dura y cruel con ellos. Son situaciones destructivas para los hijos y para la madre. Lo más frecuente es una oscilación materna entre permisividad y castigo.

## La primera norma **para todos**

■ No chillar ■ No pegar ■ No insultar

■ Es bueno que haya disciplina, horarios y orden.
■ Las normas deben se coherentes, permanentes y flexibles.
■ Hay que dar oportunidad al hijo para que participe en la elaboración de las normas, enseñándole y aprendiendo de él.
■ Se deben tener en cuenta las necesidades del grupo familiar y las de cada componente de éste, para lo que hay que hablar y escuchar a todos y cada uno de ellos.
■ Hay que pactar y negociar con los hijos, pero recordándoles que el liderazgo lo tiene la madre. En la negociación hay que llegar a una descripción común del problema. Dar la información con claridad y sencillez, describiendo los hechos sin juzgar.
■ Cada parte tienen que poder exponer asertivamente sus puntos de vista (siguiendo las pautas de una comunicación igualitaria).
■ A continuación, cada parte sugerirá alguna solución o propuesta.
■ Es importante que los adultos escuchen y respeten las propuestas infantiles sin rebatirlas sistemáticamente o desestimarlas sin más.
■ Si alguna de las partes está muy enfadada debe hacer un «tiempo fuera» (veremos después cómo se hace).

Si el niño no está acostumbrado a hablar así de los problemas, edúcalo poco a poco hasta que le resulte natural sentarse a la mesa a plantear las dificultades, expresarse, escuchar y pactar las soluciones. Este aprendizaje de convivencia es el mejor regalo que puedes hacerle para su futuro.

## Proceso de resolución **del conflicto**

- Descripción del conflicto por las partes
- Negociación
- Pacto
- Castigo: consecuencia lógica si hay ruptura repetiva del pacto sin voluntad de rectificación ni nueva negociación

### EL CASTIGO

Si hay normas, se tiene que poder afrontar su incumplimiento. Un castigo no tiene por qué ser cruel o irrespetuoso; no tiene por qué ser un abuso de poder. Un ultimátum no es una amenaza, sino una consecuencia lógica.

## Lo que **no debemos hacer**

La peor amenaza que podemos hacer a un niño es: «Si haces esto no te querré». No hay que negociar con el amor; el amor es porque sí, si no no es amor. Tampoco hay que adiestrar con un «Si haces eso serás un niño malo», ya que entonces confundimos a la persona con sus acciones. Estamos etiquetando y juzgando al niño si no nos obedece.

Al poner un castigo es bueno dar alternativas al niño que le permitan elegir su respuesta: «Puedes seguir jugando en el ordenador un rato más, y sacar después al perro, o sacarlo ahora y jugar después un rato».

Conviene dejar abierta al niño la búsqueda de soluciones: «Piensa en la forma más adecuada de atender a las necesidades de tu perro. Cuando tengas un plan me lo explicas».

Hay que involucrar al niño en la resolución del problema, haciéndole ver que es responsable de sus acciones: «Tú quisiste tener un perrito y dijiste que lo cuidarías. Es tu responsabilidad, además yo tengo que fregar los platos y meter en la cama a tu hermanita. Si no sacas al perro, éste lo pasará muy mal porque intentará retener el pipí, no entenderá que no le saques porque no tienes ganas y acabará haciéndoselo en casa. Cuando el olor de su orina quede en algún lugar de la casa el perro lo reconocerá y volverá a hacer pipí ahí. Te molestará el olor y el perro estará triste porque no se le dará la atención que necesita. ¿Cómo te parece que podemos resolver esto?».

El niño tiene que tomar sus propias decisiones y aprender a actuar en consecuencia. Si repetidamente no hace caso, hay que castigarle. El castigo tiene que estar directamente relacionado con el problema que lo provoca. Hay que evitar, por ejemplo, algo como: «Ya que no has querido sacar al perro, esta noche no jugarás en el ordenador». Sería más conveniente algo como: «Si quieres puedes fregar tú los platos y yo sacaré al perro, o bien tú me ayudas a fregar los platos y luego yo te acompañaré a pasear el perro». Se le puede suavizar el castigo, pero nunca librarlo de sus responsabilidades.

Es importante que el niño entienda que a lo largo de su vida siempre va a tener obligaciones, cosas que tienen que ser hechas y normas sociales que tienen que ser cumplidas.

Los niños que son obligados a cumplir las normas mediante amenazas, es más probable que las incumplan cuando sean adolescentes, porque habrán aprendido que la única razón para obedecer es que si no lo hacen serán castigados, y a veces físicamente.

Si se dan cuenta de que su acción tiene consecuencias lógicas indeseables para ellos y para el grupo, es más fácil que acepten la norma. Si se les hace ver que su palabra y sus decisiones anteriores generan unos hechos de los que ellos son responsables, aprenderán a hablar y decidir responsablemente. Comunica el castigo amablemente, con voz firme y sin enfado.

Una vez tenemos una buena relación con nuestros hijos podemos empezar a poner límites respetuosamente. Si el niño no responde hay que trabajar más en la relación, ganar su confianza, comprenderle, escucharle, pasar tiempo con él, compartir actividades que le guste hacer, animarlo y valorarlo, etc. Después volveremos a intentar los pactos. Hay que ser pacientes con los niños cuando se les enseña a resolver conflictos y a ser responsables, en especial con los niños que han presenciado violencia doméstica. Enseñarles a ellos es también aprenderlo nosotras mismas: somos capaces de convivir en paz y con respeto.

## Cómo establecer **pactos**

**1.** Escribe todos los pactos en una pizarra visible.

**2.** Si el plan falla convoca una reunión lo antes posible. Incluye un ultimátum en los nuevos pactos por si se vuelve a fallar.

### Cólera

#### NO HAY QUE CONFUNDIR LA RABIA CONTRA LA PAREJA CON RABIA CONTRA EL HIJO

Pregúntate: «¿Con quién estoy enfadada realmente?». Si te das cuenta de que en realidad estás enfadada con tu expareja y no con tu hijo, intenta hablarlo con otra persona, una amistad cercana, un familiar o una psicoterapeuta. A veces podrás estar enfadada con el padre y con el hijo a la vez.

#### NOS INFLUYEN LAS IDEAS PRECONCEBIDAS

Los pensamientos y las creencias pueden influirnos más de lo que pensamos. Aprendiendo a reconocer los pensamientos que nos hacen enfadar, podemos manejar mejor nuestra cólera y ser madres más respetuosas al imponer una disciplina a nuestros hijos. Nos influyen las ideas preconcebidas que podamos tener sobre cómo es una madre y cómo se deben comportar los hijos. El diálogo interno de pensamientos con que describimos la forma en que se comportan nuestros hijos puede ser:

▪ «Los padres tienen que poder controlar a sus hijos».
▪ «Los niños siempre tiene que obedecer a sus padres».
▪ «Los niños no tienen que contestar a sus padres».
▪ «Un padre cuyo hijo se comporta mal en público es un mal padre».
▪ «Los buenos padres siempre llevan a sus hijos limpios y arreglados».
▪ «Cuando los niños se portan mal están retando a los padres.
▪ «Los niños son responsables de los sentimientos de sus padres: 'No me hagas enfadar'».
▪ «Los niños malos se merecen que se les castigue».
▪ «Los niños deberían ser callados y saber escuchar».
▪ «No pienso permitir esto».

## NOS INFLUYEN LAS IDEAS NEGATIVAS

Los pensamientos negativos nos hacen sentir mal con nuestros hijos y con nosotras mismas como madres. Estos sentimientos a veces se transforman en enfado. Nos sentimos frustradas, indignadas y con justificación suficiente para castigarlos. «¡Qué malo es!»; «Qué desagradecido!»; «Lo hace a propósito»; «Quiere volverme loca»; «Es tan malo como su padre»; «Es un consentido»; «Es muy egoísta»; «Está buscando que le pegue».

Podremos controlar mejor nuestras emociones y conducta cuando aprendamos a detectar nuestros pensamientos negativos, pararlos y reemplazarlos por pensamientos que nos llenen de respeto y calma:

▪ «Mi hijo es capaz de tomar decisiones adecuadas».
▪ «Creo que para que los hijos respeten a los padres, éstos han de respetar a los hijos».
▪ «Creo que tanto padres como hijos tienen derechos».
▪ «Es normal que tanto padres como hijos, a veces, se equivoquen».

- «Puedo calmarme y hablar tranquilamente. Lo he hecho otras veces».
- «Sólo tiene tres años; a esta edad todos los niños son egoístas».
- «Ahora está cansado y hambriento».
- «Tiene derecho a sentirse así».
- «Ahora no tengo que solucionar esto, ya hablaré con ella después de la siesta».
- «Me molesta deliberadamente para captar mi atención. Estaré más por ella».

Estos pensamientos de calma no significan que olvidemos la disciplina y las normas, sino que relativizamos nuestros enfados y calmamos nuestro estado de ánimo.

---

Es importante que estos niños sepan que se puede convivir y diferir en algunos aspectos con otra persona sin que haya que comportarse así. Se puede estar enfadado y no ser violento; se puede mostrar la rabia expresando con palabras lo que se siente, sin querer destruir a nadie.

---

## «TIEMPO FUERA» PARA LOS PADRES

Es muy difícil ser respetuosa con el hijo «en caliente». Todas las terapias de manejo de la cólera coinciden en el *Time out*: salir durante un rato de la situación conflictiva, «ir a tomar un poco el aire».

Tu cuerpo y tus emociones te avisan de que te estás enfadando. Estos signos tempranos de cólera suelen ser:

- Pensamientos negativos
- Emociones difíciles: agobio, estrés, impotencia, fragilidad, frustración, enfado, sentirse herida, etc.
- Pistas corporales: músculos del cuello o espalda tensos, dolor de estómago o de cabeza, acaloramiento, temblor, respiración rápida, ceño fruncido, ojos entrecerrados, etc.

## HAY QUE PARAR Y TOMARSE UN TIEMPO FUERA SIN EXCUSAS

Si no paras empezarás a ir de un lado para otro, a usar un dedo acusador, insultar, empujar, ser sarcástica, amenazar, etc. Estarás repitiendo el modelo de tu expareja.

El tiempo fuera se usa cuando estás fuera de ti, necesitas calmarte y no puedes hablar respetuosamente. Para poder usarlo tienes que estar consciente de ti misma, conectada a tu cuerpo y tus emociones. Es irte del ojo del huracán hasta que éste se disipe.

- En el caso de adultos se recomienda una hora de parada fuera, preferiblemente paseando y distrayéndose. Si se trata de un conflicto con niños, de 5 a 20 minutos pueden bastar. Explica a tu hijo que necesitas un rato para tranquilizarte y explícale dónde estarás.

- No se pretende castigar al niño con el tiempo fuera. No se trata de abandonarlo, ni de dejar el tema de lado. Recuérdate que tú eres la única que controla tus pensamientos, sentimientos y acciones.

- A la vuelta párate a pensar sobre el conflicto y a buscar soluciones.

- Cuando vuelvas calmada a hablar con tu hijo no tienes que repetir tus argumentos, culpabilizarlo o hacerlo sentir mal, sino aplicar las técnicas de resolución de conflictos. Si vuelve a surgir el enfado, vuelve a tomarte un tiempo fuera.

Tu hijo también tiene que aprender el tiempo fuera. Si te ha perdido el respeto hazle saber que no seguirás hablando con él mientras se comporte así, y que debe irse a tomar el aire o a su habitación y pensar sobre lo ocurrido; que después ya seguiréis hablando. Si se ha comportado incorrectamente con otro niño, tu hijo tiene que irse a otro cuarto y hacer lo mismo que haría contigo. Enséñale desde pequeño técnicas de relajación y hazle que aprenda a poner por escrito lo que piensa. Debe aprender que la separación es una consecuencia lógica de la conducta irrespetuosa.

Cuando le expliques esto, es importante que estés tranquila y seas muy clara, sin criticar o culpabilizar al niño.

Otra posibilidad cuando el niño tiene una rabieta, sobre todo si es pequeño, es que lo distraigas con algo que capte su atención totalmente, una propuesta atractiva para el niño.

## CÓMO NO DEBEMOS HABLAR

Hay que evitar gritar a los niños, encolerizarse, insultarlos, perderles el respeto. Ellos suelen imitar las conductas que ven en los adultos. Si nos fijamos, es probable que en las contestaciones que nos dan haya restos de nuestros propios tics, frases y gestos. Si les tratamos con respeto estamos sembrando en ellos la semilla de la convivencia y el diálogo respetuoso.

Seamos más críticos con nuestra conducta, observemos cómo hablamos cuando estamos enfadados, cómo resolvemos los conflictos.

A veces les decimos las cosas a los niños de una manera que les hace estar a la defensiva o sentirse atacados. Entonces ellos se enfadan, reaccionan agresivamente o nos ignoran, a lo cual nosotras respondemos coléricamente. Para prevenir conflictos con nuestros hijos deberíamos hacernos responsables de la forma en que hablamos y actuamos cuando estamos enfadados con ellos y ayudarlos a que ellos también se hagan responsables de su conducta. Cuando los niños se equivocan e inmediatamente los criticamos y culpamos, estamos quitándoles la oportunidad de que entiendan la dinámica del conflicto, se hagan responsables de su conducta y encuentren formas alternativas de afrontar el conflicto. Igual que nos pasa a nosotros cuando nos sentimos atacados o criticados, los niños pierden lucidez sobre el problema y se sienten mal. Por ejemplo, intenta recordar cómo te sentiste en alguna ocasión en que alguien con estatus superior al tuyo te criticaba.

## COMUNICACIÓN IGUALITARIA

Habla y escucha a tu hijo siguiendo unas pautas de respeto. Repasa lo que se decía sobre comunicación igualitaria en el capítulo 1. Intenta adaptar a tu hijo todos los puntos con ejemplos y juegos. Repasa cada día con él algún aspecto de este tipo de comunicación. Practícalo en cada ocasión que se preste a ello no sólo con tu hijo, sino con cualquier persona. Interioriza estas pautas hasta que te salgan espontáneamente.

Escuchar a los niños no es tan difícil, a veces sólo con escuchar en silencio cómo expresan sus sentimientos ya es suficiente. Necesitan saber que los aceptamos y queremos hayan hecho lo que hayan hecho, que aceptamos sus sentimientos, que no los juzgamos.

- Escucha el sentimiento que hay en las palabras.
- Parafrasea lo que han dicho, mostrándoles que entiendes lo que han dicho.
- No añadas nada. Deja tiempo para que ellos digan lo que quieran.
- No les digas lo que tienen que hacer, cómo tienen que sentirse o por qué se sienten así. No les des lecciones constantemente. Si lo haces así es que en realidad lo que te puedan decir no te interesa o no te gusta.
- Hazles saber que les entiendes: «Comprendo»; «A veces yo también me siento así»; «Estás triste, ¿verdad?».
- No te muestres siempre cansada y con prisa.

**Sexismo.** El niño es testigo de los malos tratos del padre hacia la madre y de cómo la madre acaba obedeciendo al padre. Observa que su padre pega a la mujer pero no a sus amigos o jefes, y aprende que la mujer es un ser de segunda clase. Si este aprendizaje se refuerza con la preferencia de su madre hacia él frente a su hermanita, se sentirá justificado para pegarla cuando ella le haga una trastada y añadirá: «Has sido mala y te lo mereces». Además, ve que en la tele, en los temas «serios» no salen mujeres, que éstas no mandan en política ni economía, que se pueden utilizar como objeto sexual, que los héroes, los aventureros y los científicos son hombres, etc. El niño inevitablemente acaba creyéndose el mensaje sexista de su familia y su cultura: el varón es superior a la mujer y tiene derecho a pegarla y controlarla. El ciclo de la violencia se perpetúa a sí mismo.

Esta primera discriminación puede llevar a cualquier otra. Si se admite que por una característica física un ser humano es superior a otro, esto se puede extrapolar fácilmente a cualquier diferencia física, racial, cultural, lingüística, etc.

Esfuérzate escrupulosamente en que tu conducta con tus hijos sea igualitaria: no des preferencia o prioridad al niño frente a la niña, no valores más sus logros, no lo promociones más, no le escuches más, etc.

## Averigua el sexismo existente en tu **hijo adolescente**

Si tienes hijos adolescentes y quieres averiguar su sexismo puedes pedirles que rellenen este cuestionario extraído de un compendio de escalas para valorar actitudes y creencias en jóvenes.[13]

### ACEPTACIÓN DE LA VIOLENCIA DE PAREJA
(Foshee, Fothergill & Stuart, 1992)

Puntúa cada una de las ocho afirmaciones según tu criterio:

- No estoy de acuerdo en absoluto . . . . . . . . . 1
- No estoy de acuerdo . . . . . . . . . . . . . . . . . . 2
- Estoy de acuerdo . . . . . . . . . . . . . . . . . . . . 3
- Estoy totalmente de acuerdo . . . . . . . . . . . 4

1. Un chico bastante enfadado, para pegar a su novia tiene que quererla mucho.
2. La violencia entre novios puede mejorar su relación.

3. Las chicas a veces merecen que las peguen los chicos con los que salen.
4. Una chica que pone celoso a su novio a propósito merece que la peguen.
5. Hay veces en que la violencia entre novios está bien.
6. A veces la violencia es la única forma de expresar tus sentimientos.
7. Algunas parejas tienen que usar la violencia para resolver sus problemas.
8. La violencia entre los miembros de una pareja es un asunto privado y la gente no se tiene que meter.

Suma los puntos y divide por el número de preguntas. Cuanto más cerca de 4 está el resultado, más acepta el joven la violencia de pareja.

## ACTITUDES HACIA LA MUJER

(Galambos, Petersen, Richards & Gitelson, 1985)
Puntúa igual que arriba:
1. Decir palabrotas queda peor en una chica que en un chico.
2. En una cita, el chico tendría que pagar todos los gastos.
3. Por término medio, las chicas son tan listas como los chicos.*
4. En una familia se debería animar más a ir al colegio a los hijos que a las hijas.
5. Está bien que una chica quiera jugar a deportes rudos como el fútbol.*
6. En general, el padre debería tener más autoridad que la madre al tomar decisiones en la familia.
7. Está bien que una chica le pida una cita a un chico.*
8. Es más importante para los chicos que para las chicas hacerlo bien en la escuela.
9. Si trabajan marido y mujer fuera del hogar, el marido tendría que compartir tareas del hogar como lavar los platos y hacer la colada.*

10. Los chicos son mejores líderes que las chicas.

11. Las chicas deberían preocuparse más de ser buenas amas de casa y madres que de desarrollar una profesión o una empresa.

12. Las chicas deberían tener la misma libertad que los chicos.*

Los ítems con * tienen código inverso; se puntúan al revés.

Suma los puntos y divide por el número de preguntas. Cuanto más cerca de 4 está el resultado, más sexista es la actitud del joven hacia la mujer.

### ¿CÓMO HA AFECTADO LA VIOLENCIA DOMÉSTICA A TU HIJO EN SU CONCEPTO DE TI COMO MUJER?

- Te ve tal como te describía el maltratador (estúpida, loca, sucia, etc.).
- Te ve como débil por aguantar el maltrato de tu marido.
- No te respeta.
- Te controla.
- No te escucha.
- Te rebaja de categoría.
- Usa contigo las tácticas de poder y control que usaba tu expareja.
- Usa la violencia física contigo.
- Te exige que hagas lo que él quiere.
- Te trata exactamente igual que el maltratador.
- Intenta protegerte.

Si tu hijo ha aprendido el modelo del maltratador, necesita terapia y nuevos modelos. Pide a tus familiares y amigos varones con una conducta de igualdad de género comprobadísima que se ganen su amistad.

Busca algún terapeuta varón para que tu hijo acepte su liderazgo; más adelante, cuando madure, ya le buscarás modelos femeninos.

## DEBES BUSCAR TERAPIA PARA TU HIJO SI...

- Permanece solo mucho tiempo.
- Agrede física o sexualmente, amenaza o intimida a otros.
- Usa armas.
- Es cruel con gente o animales.
- Roba, incendia, destruye deliberadamente.
- Escapa de casa.
- Tiene conductas o ideación autolítica.
- Tiene muchas pesadillas.
- Cambia de personalidad con frecuencia.
- Sufre enuresis o encopresis.
- Cambia sus patrones de comida y/o sueño.
- No va a clase o no se interesa por los estudios.
- No se interesa por los amigos.
- Te maltrata o te trata como te trataba su padre.
- Es sexista.

# Desarrolla la autocompetencia de tu hijo

La autocompetencia es un juicio positivo de nuestras habilidades. Los niños se sienten competentes si:

- **Tienen un modelo.** Pueden ver cómo otras personas resuelven satisfactoriamente las tareas.
- **Se les da oportunidad.** Son animados a desarrollar las tareas por sí mismos.
- **Tienen capacidad.** Son capaces de experimentar éxitos sucesivos en las tareas.
- **Son apreciados.** Reciben la aprobación de personas importantes para ellos.
- **Si le decimos al niño:** «Deja ese rompecabezas, que es muy difícil para ti», o «Ya lo acabaré yo», le estamos dando el mensaje de que no tiene capacidad. Esa etiqueta de incapaz puede quedarse permanentemente en la personalidad del niño.

Si en cambio decimos: «Este rompecabezas es muy difícil, pero yo sé que si lo intentas acabarás resolviéndolo», y dejamos que afronte el reto por sí solo, la expectativa de éxito del adulto puede llevar al niño a un diálogo interno positivo y alentador cuando realiza la tarea. Más adelante ésa será la actitud que lo llevará al triunfo.

**Expectativas adecuadas a la edad.** Los niños se desarrollan de manera previsible. Un niño normal de dos años es incapaz de estar sentado quieto durante tres horas. Un niño  normal de cinco años no puede cuidar de su hermanito bebé. Un niño normal de ocho años puede tener dificultades para recordar las tareas que les hemos encomendado si no se las recordamos.

Si comprendemos que los niños a cierta edad no tienen capacidad para hacer ciertas cosas, seremos madres más respetuosas.

## Algunos problemas de conducta **según la edad**

| Edad | Conducta | Habilidad | Solución |
|------|----------|-----------|----------|
| 2 años | Derrama la leche mientras la bebe. | Coordinación física y atención limitadas. | Pon la leche en un recipiente tapado. |
| 5 años | Empieza a limpiar su habitación y no lo acaba. | Capacidad limitada para permanecer en una tarea sin la supervision de un adulto. | Reduce y simplifica las tareas, observa y guía al niño. |
| 14 años | Llega a casa después de lo pactado. | Su prioridad es pasar tiempo con los amigos, desarrollar la independencia. | Habla con tu hijo con claridad sobre las normas de convivencia y pacta. |

Cuando los niños experimentan estrés y ansiedad, regresan a etapas anteriores del desarrollo, es decir, empiezan a actuar como si fueran más pequeños. Por ejemplo, un niño de seis años que se expresa correctamente puede, en una rabieta, empezar a gritar «¡no!» como un niño de dos años muy estresado.

En niños que han presenciado violencia doméstica es muy común la regresión. Recuerda esto cuando estés tratando de entender por qué tu hijo no actúa de la forma que tú esperas.

Recuerda que tus expectativas no han de depender del género de tus hijos.

## Reconocimiento y apreciación

### Reconocimiento y apreciación de la conducta

▦ **Del esfuerzo.** Habla del esfuerzo que tu hijo ha realizado, del tiempo que ha dedicado, de la energía que ha puesto en hacerlo o de la habilidad que ha demostrado para centrarse en una actividad. Por ejemplo: «Has estado jugando en silencio y tranquilo durante un rato con el rompecabezas»; «Te has esforzado en organizar tus juguetes».

Cuando alientas su conducta no juzgas la perfección del resultado, sólo describes el método, la forma en que lo ha hecho. No valoras el fin sino los medios. Intenta transmitirle que para ti es más importante la acción que el fruto de la acción; la atención con que realiza algo que el algo realizado. Pudo salirle mal lo que está haciendo, pero si lo ha hecho con toda el alma tú se lo vas a reconocer y ponderar. Describe lo que ves («Veo que has hecho la cama») sin juzgar o puntuar.

▦ **No lo compares con otros niños.** Puedes decir «muy bien», pero no conviene que digas «eres el mejor», no establezcas comparaciones. Su satisfacción por el logro no ha de venir de una competición.

▓ **Fomenta la autoestima de tu hijo ante sus logros.** «Puedes sentirte orgulloso de tu tarea»; «Debes estar muy contento por lo que has conseguido». Esto hace que el niño se sienta bien consigo mismo y haga una valoración positiva de su logro. Reconoce los pasos dados hacia un determinado objetivo: «Esta vez has recogido tú solo la ropa de tu cuarto»; «Has resuelto el problema sin consultarme».

▓ **Reconoce conductas específicas concretas.** Evita expresiones como «Fuiste muy bueno en la tienda»; en vez de ello di: «Me gustó mucho la forma como fuiste conmigo a la tienda y me ayudaste a elegir la compra». O en vez de: «Estuviste muy bien con tu hermano esta tarde», di: «Supiste compartir el ordenador con tu hermano y eso le gustó mucho».

▓ **No lo adiestres diciendo que es bueno o malo si hace o no lo que tú quieres.** Separa el valor el niño de su trabajo. A «Eres una niña buena, has recogido tus juguetes», quítale «Eres una niña buena»; en todo caso di: «Muy bien».

## Reconocimiento y apreciación de la persona

▓ **Apreciación verbal.** Este reconocimiento tendría que salirte espontáneamente. No depende de si tu hijo es listo o tonto, de si lo hace bien o lo hace mal, de si te obedece o no. Es sólo una apreciación por ser quien es, no por ser como es. Habría que hacer esto por lo menos una vez al día. Por ejemplo: «Me gustas»; «Eres divertido»; «Me gustaría pasar más tiempo contigo»; «Me siento muy bien contigo»; «Te añoraba»; «Te eché a faltar»; «Me gusta tu sonrisa».

▓ **Apreciación corporal.** Expresa afecto corporal, no verbal por tu hijo mediante abrazos, achuchones, sonrisas, tocándolo, cogiéndole la mano.

## ¿Qué es lo contrario de apreciar **a tu hijo?**

- Esperar demasiado de él.
- Promover una competición entre hermanos.
- Centrarte en sus fallos más que en sus éxitos.
- Mostrarte siempre cansada y estresada.
- Manifestarle tu preocupación por su seguridad y la tuya.

**Tiempo con tus hijos.** Nos cuesta sacar tiempo para hacer cosas especiales con nuestros hijos. Los cuidamos, alimentamos, atendemos a sus necesidades y problemas, pero no encontramos tiempo para disfrutar de ellos realmente como personas. Querer a alguien es pasar tiempo con ese alguien, aunque no sea estrictamente necesario. Algunos padres descubren que los problemas de relación con sus hijos se difuminan cuando dedican más tiempo a estar con ellos, a compartir con ellos alguna actividad lúdica. La conducta de muchos niños es rebelde porque quieren una atención real de sus progenitores; necesitan saber que son importantes para ellos.

### ALGUNAS SUGERENCIAS PARA EL TIEMPO COMPARTIDO

- Planifica un tiempo a solas con tu hijo. Si tienes varios hijos saca tiempo por separado para cada uno. Es un tiempo especial en el que os miráis, habláis, os contáis sueños, planificáis objetivos, hacéis algo divertido o creativo juntos. No están presentes ni la pareja, ni los otros hijos, ni otros parientes o amigos. No se trata de ver la tele, ni el ordenador, ni una película; sólo hablar o jugar juntos, o dar un paseo.
- Ese tiempo especial no es un premio o un castigo.
- Si tu hijo se porta mal durante ese tiempo utiliza la técnica de separación explicada anteriormente, por ejemplo: «No puedo estar contigo si gritas así, después tendremos otro rato para estar juntos».

- Incluso aunque tengas visitas con tu hijo y sólo lo veas una o dos veces por semana, arregla las cosas para tener ese tiempo especial juntos. Reserva parte del tiempo en común para hablar y jugar, además de las otras actividades que tengáis que hacer durante ese tiempo.

- Sé perseverante y continúa con vuestro tiempo especial. Los niños realmente lo esperan con ilusión y si lo cancelas se decepcionan.

**Nota**: Algunas partes de este capítulo están inspiradas en el curso «Helping children who witness domestic violence: a guide for parents». Fundado por el King County Women's Program, Meg Crager y Lily Anderson Seattle, Washington.

[1] WIDOM, C.S. «Does violence beget violence? A critical examination of the literature». Psychological Bulletin 10, 3-28, 1989.

[2] Ley 27/2003, de 21 de julio, reguladora de la Orden de protección de las víctimas de la violencia doméstica BOE 1.08.03.

[3] «The impact of domestic violence on children: twelve practical recommendations for lawyers, advocates, judges, probation and court personnel». Sarah M. Buel, J.D.1, 1999

[4] Entrevista con Barbara Hart, Consejera Legal para la «Pennsylvania Coalition Against Domestic Violence», 4 de Octubre de 1996.

[5] VAN DER KOLK y DUCEY.

[6] ANSORGE, Susan; Ph. D.; Litz, BRETT T.; ORSILLO M., Susan. «Thinking about feelings: the role of meta-mood in post-traumatic stress disorder», NCP Clinical Quarterly 6(2): Primavera de 1996.

[7] MC CAFFREY, Dawn. «Victim Feminism/Victim Activism», 273.

[8] HACKER M., Helen. «Women as a minority group», The University of North Carolina Press. 1951.

[9] GRAHAM, D. L. Loving to survive. NYU Press, 1994.

[10] CAPLAN y NELSON, 1973.

[11] United Nations Declaration on the Basic Principles of Justice for Victims of Crime and Abuse of Power A/RES/40/34, General Assembly, 29 de Noviembre de 1985.

[12] Committee for equality between women and men, Consejo de Europa, 1998. Report of Working Group 1.

[13] DAHLBERG, Linda L.; Ph D.; B. TOAL; Susan, MPH Christopher B. Behrens, MD. «Measuring violence related attitudes, beliefs and behaviors among youths: a compendium of assessment tools», Division of Violence Prevention, National Center for Injury Prevention and Control Centers for Disease Control and Prevention, Atlanta, Georgia, 1998.

# CUARTA PARTE

# Síndrome de Estocolmo

# Síndrome de Estocolmo
# de la mujer maltratada

No siempre se consigue escapar de la violencia doméstica; puede que tú misma hayas llamado muchas veces a muchas puertas, incluida la de la Justicia, y no hayas conseguido más que respuestas que te disuaden de mantener la acusación o que no se comprometen lo suficiente para ayudarte como necesitas. Has hecho un aprendizaje de que no hay escape de la violencia y acabas por adaptarte a ella. Justificas el maltrato, piensas que eres inferior a tu pareja y sientes que no podrías vivir sin él. Si después de una paliza decides denunciar, enseguida cambias de opinión por una mezcla de amor y miedo a tu agresor.

De lo que te suceda de ahí en adelante no sólo es responsable el maltratador; la sociedad entera es cómplice de sus agresiones futuras.

En este capítulo veremos:

- Sin escape
- La responsabilidad de los fiscales
- Leyes sexistas
- El Síndrome de Estocolmo de la mujer maltratada
- «A mí no me pasaría»
- ¿En que consiste el Síndrome de Estocolmo?
- Secuelas de un secuestro prolongado

- La sociedad y el Síndrome de Estocolmo
- Principales motivos por los que la mujer maltratada retira la acusación
- Finales del proceso de victimización de la mujer
- Maltratadoras

## Sin escape

Cuando la mujer se da cuenta por primera vez de que su pareja la maltrata suele hablar con alguien. No es verdad que las mujeres maltratadas no lo digan o no pidan ayuda; lo que ocurre es que la respuesta que reciben de los conocidos y de la sociedad en general es fría, tópica, y las disuade de continuar en su denuncia de la violencia de género.

De repente, por una película, un libro o un programa de televisión, la mujer recibe una información que da la vuelta a sus planteamientos sobre su relación de pareja. Descubre que es «¡una mujer maltratada!». Ese momento no lo olvidará nunca, la conmociona, la vuelve del revés. No sabe cómo ha llegado hasta ahí, ni cómo salir del maltrato, pero tiene claro que no puede aguantar más. Es como si todo lo que hasta entonces creyera el cielo lo viera ahora como el infierno; se siente llena de rabia y de vergüenza y habla con alguien.

Desgraciadamente, la respuesta que suele encontrarse está llena de todos los prejuicios y mitos sexistas de nuestra sociedad. A todos nos asusta destapar una Caja de Pandora con la que no sabemos qué hacer, por lo que una primera contestación de la persona confidente puede ser defensiva:

- «¿Estás segura? Cálmate, puede que estés exagerando».
- «Pero si él es encantador, parece increíble un hombre tan amante de sus hijos y del hogar».
- «Puede que lo que necesitéis sea hacer una terapia de pareja. Lucha por mantener a la familia unida, por tus hijos».

■ «Un pronto lo tiene cualquiera, pero malos tratos son palabras mayores. Mira bien lo que dices antes de acusarle de algo tan grave».

¿Hipocresía? ¿Miedo? ¿Sexismo? Esta primera contestación puede bastar para disuadir a la mujer de escapar del terror en el que vive. Ella percibe rechazo, disgusto, negación de la violencia o incredulidad en la respuesta que ha recibido. Sabe que puede encontrarse a sí misma culpada de ser la maltratadora; acaso no tiene partes de lesiones que prueben sus palabras, ni testigos.

La mujer maltratada no es un ente aislado, sino un elemento social más, que influye y es influido por una dinámica colectiva. En la evolución de los acontecimientos vitales de esta persona van a ser decisivas las aportaciones e intervenciones «desde el exterior». En el momento crucial en que la mujer contacta con alguien por primera vez para explicar su experiencia de maltrato; la respuesta que se le dé determinará en gran medida lo que le ocurra después, a ella y a sus hijos.

Los tópicos sexistas de la sociedad nutren la violencia de género, permiten que quede impune y culpabilizan a la víctima, la mujer:

■ «La mujer tiene que seguir y obedecer al hombre».
■ «Lo mejor para los hijos es que los padres no se separen».
■ «La violencia doméstica es un asunto privado que no hay que airear».
■ «Es antes la familia que la mujer».
■ «El amor todo lo perdona».
■ «Con amor conseguirá cambiarle».

Instituciones patriarcales como la Iglesia han fomentado siempre el rol de obediencia de la mujer frente al hombre:

■ «El hombre… es la imagen y gloria de Dios; pero la mujer es la gloria del hombre. El hombre no fue hecho de la mujer, sino la mujer del hombre». (*Corintios* 11:7-9)

- «Esposas, someteos a vuestros maridos, como a Dios. El marido es la cabeza de la mujer, así como Cristo es la cabeza de la Iglesia... Así como la Iglesia sigue a Cristo, las mujeres sigan en todo a sus maridos». (*Efesios* 5:22-24)

Uno de los mitos sociales más perjudiciales a la hora de salir de la violencia de género es el de que «*si ella quiere se puede ir*». *Pero no es tan fácil:*

- En cada periodo de «luna de miel» se genera el inicio de un nuevo ciclo con el que la mujer se hunde un poco más en el sometimiento y el dolor. De forma gradual se va acostumbrando a pequeños cambios negativos en la relación. Cuando se da cuenta de que algo grave está ocurriendo, muchas veces ya está tan victimizada que no puede ni pedir ayuda, ni defenderse. Una rana que vive en un depósito de agua a temperatura ambiente, colocada en otro depósito de agua muy caliente salta inmediatamente porque percibe el peligro. Si a esta misma rana se le calienta el agua de su depósito de forma gradual, décimas de grado cada día, acaba muriendo abrasada al cabo de un tiempo.
- La mujer maltratada tiene miedo de que su pareja la mate o la agreda si lo deja, y sobre todo tiene miedo de que de alguna forma haga daño a sus hijos o se los quite. ¡La ha amenazado tantas veces!
- El maltrato la ha empobrecido, la ha aislado, no tiene a nadie que la ayude. Si ha denunciado, él nunca ha ido a la cárcel. Si los malos tratos son graves la víctima sufre lesiones, somatizaciones, depresiones, ataques de pánico, etc., que la incapacitan para desarrollar normalmente su profesión, por lo que puede haber perdido su trabajo. La mujer está inmovilizada por el trauma físico y psíquico. Sin dinero ni sitio adonde ir con sus hijos, no es extraño que ella no se atreva a abandonar el domicilio conyugal. La violencia doméstica genera víctimas incapaces de salir de ella.

■ Casi le resulta más fácil adaptarse al maltrato y seguir viviendo con su compañero que sigue acosándola para que no le deje, que separarse de él.

> A veces se da por supuesto que hay numerosos profesionales y personas «fuera», esperando para ayudar a las mujeres maltratadas. Se considera irracional que permanezcan con sus agresores a pesar de las muchas oportunidades que tienen de ponerse a salvo y vivir dignamente.
>
> Joanne Belknap y Dee L. R. Graham

La tolerancia de la sociedad con la violencia de género es mayor que con cualquier otro crimen violento. Justificamos al agresor y minimizamos el maltrato. Achacamos a la víctima la provocación de la agresión. Damos mayor credibilidad a lo que dice el hombre.

Recomendamos a título orientativo los ítems del test sobre «Falta de cooperación del sistema»:[1]

«Escribe el número de veces en tu vida que ha ocurrido cada una de las siguientes afirmaciones, en respuesta a tu relato de las agresiones o amenazas de tu pareja. Si ha ocurrido muchas veces pon MV, si no ha ocurrido nunca pon 0.

■ Una persona me convenció de no llamar a la policía ni denunciar el incidente.

■ Un médico no hizo el parte judicial de mis lesiones por agresión.

■ Un profesional asistencial (psicólogo, trabajador social, etc.) me convenció de no llamar a la policía ni denunciar el incidente.

■ Se llamó a la policía pero ésta nunca vino.

■ Mi pareja y yo fuimos a mediación.

■ Se llamó a la policía pero mi pareja no fue arrestada.

- Se llamó a la policía y mi pareja fue arrestada, pero el caso se archivó o no hubo juicio.
- Se llamó a la policía y mi pareja fue arrestada, pero en el juicio fue encontrada no culpable.
- Se llamó a la policía, mi pareja fue arrestada y encontrada culpable, pero no fue a la cárcel.
- Se llamó a la policía, mi pareja fue arrestada, encontrada culpable y fue a la cárcel.

Formulando las preguntas anteriores a mujeres maltratadas se observa que, en general, los niveles de inhibición y negligencia del sistema son increíblemente altos. La víctima del maltrato suele ser aleccionada por la sociedad y las instituciones de que no merece la pena que haga intentos de escapar o denunciar porque no podrá escapar de la violencia.

Se inicia así una fase de desesperanza profunda en la que la mujer ya no va a decir nada a nadie de las agresiones. Piensa: «Para qué voy a decir nada si aún me van a complicar más las cosas y no sólo no recibiré ayuda sino que él querrá vengarse si se entera». Es aquí cuando la mujer, preguntada por sus hematomas en los servicios médicos, dice que se cayó por las escaleras.

---

Una de las dificultades a las que se enfrentan los profesionales del Derecho que llevan casos de violencia de género en el ámbito doméstico es la del rechazo a acusar de la propia víctima. «El 80 % de las sentencias absolutorias de malos tratos se debe a que las víctimas no acuden al juicio o no ratifican la denuncia».

Margarita Retuerto, Vocal del Consejo General del Poder Judicial.

---

Si antes manifestaba su miedo y su tristeza, ahora se las guarda y entra en una desesperación profunda pero poco aparente; no se trata de una depresión de sintomatología florida, sino de una desesperanza muda, acompañada de la convicción creciente de que sólo el suicidio la liberará. Empieza a sentirse aliviada cuando fantasea con el suicidio y anticipa detalladamente la forma como lo realizará. Siente que será su última venganza, en la que definitivamente arrebatará al agresor el control que ejerce sobre su vida.

Si tiene hijos, sobre todo si éstos son pequeños, la mujer maltratada generalmente no se permitirá el recurso del suicidio. Aguantará entonces la convivencia con su pareja para que los hijos no queden a merced de ésta.

## La responsabilidad de los fiscales

Según Inés Alberdi y Natalia Matas en el documento «La violencia doméstica: informe sobre los malos tratos a mujeres en España»:[2] «Es importante señalar que, aunque una mujer retire voluntariamente la denuncia contra su agresor, el fiscal tiene la obligación de continuar con el proceso penal. El artículo 105 de la Ley de Enjuiciamiento Criminal impone al fiscal el ejercicio de la acusación penal, aun en el caso de que no exista acusador particular, salvo en algunos casos excepcionales que el Código Penal reserva a la querella privada. El delito de malos tratos (art. 153, CP) es perseguible de oficio, es decir, aun a pesar de que la víctima perdone al imputado y retire la denuncia o querella. La acción penal por delito o falta que dé lugar al procedimiento de oficio no se extingue por la renuncia de la persona ofendida». (art. 106, LEC).

»La práctica ha venido siendo distinta a este principio legal. Los fiscales suelen dejar la acusación cuando la víctima desiste, alegando falta de pruebas suficientes y pidiendo al juez el sobreseimiento del caso, es decir, su archivo. Esto implica que aquellas mujeres que retiran la acusación, muy frecuentemente por el miedo que tienen a las represalias, se queden en una situación de desprotección sin que el juicio oral llegue nunca a producirse. Según la Comisión de Investigación para los Malos Tratos a Mujeres, en la práctica son muy escasas las ocasiones en las que el Ministerio Fiscal solicita la presentación de pruebas concretas, «no cumpliendo en la mayoría de los casos con su obligación de garantía de un sistema eficaz de defensa», pues debería suplir con su investigación la escasez de pruebas que se producen en estos procesos debido, entre otros factores, al miedo que presentan las víctimas de malos tratos en la comparecencia a juicio (CIMTM, 1999).

»De hecho, su intervención se suele limitar al juicio oral. El fiscal puede decidir, una vez que el juez de instrucción acuerda que se debe seguir con el procedimiento abreviado, si solicita el sobreseimiento de la causa, según el poder que le concede el artículo 790.1 y 642 de la Ley de Enjuiciamiento Criminal. Esto significa que puede desestimar la acusación por falta de pruebas».

## Una investigación sobre 100 juicios de malos tratos en EE UU

El estudio «Factors related to domestic violence court dispositions in a large urban area: the role of victim/witness reluctance and other variables»[3] se realizó en una amplia jurisdicción del medio-oeste americano. Se usaron cuatro fuentes de datos para explorar cómo fueron procesados los casos de faltas por violencia doméstica de la pareja. El primer conjunto de datos provenía de los datos anteriores al juicio de fiscalía y policía en 2.670 juicios. El segundo conjunto de datos incluía entrevistas en profundidad y encuestas a los 14 jueces, 18 fiscales y 31 abogados de oficio que intervinieron en los casos de faltas por violencia doméstica. El tercer grupo de datos comprendía 127 transcripciones de los juicios, y el cuarto grupo de datos consistía en entrevistas en profundidad y encuestas de las 100 mujeres víctimas de los casos.

El interés principal del estudio era la negativa de las víctimas a testimoniar o cooperar con la acusación.

Entre las conclusiones del estudio se obtuvieron las siguientes:

■ Los **fiscales** pasaban muy poco tiempo con las víctimas de violencia doméstica. En casi el 90 % de los casos el fiscal nunca habló con la víctima, ni siquiera por teléfono; en la mitad de los casos (52 %) el fiscal nunca se encontró con la víctima en persona. De las transcripciones y del relato de las víctimas se desprendía que las raras veces que el fiscal se encontraba con las víctimas era unos pocos minutos antes de que los juicios empezaran. Cuando las víctimas estaban en contacto con los **fiscales**, a veces no recibían de éstos ni el tiempo adecuado ni la preparación que necesitaban para el juicio, ya que ellos parecían estar sobrecargados de trabajo.

- Los **fiscales** informaron que la principal razón encontrada para el sobreseimiento en estos juicios fue que no habían podido contactar con la víctima (aunque curiosamente la habían citado) y la víctima no se había presentado. Una queja recurrente en un número significativo de mujeres maltratadas que participaron en el estudio fue que nunca recibieron información sobre la fecha de sus juicios.

- De forma aplastante, el factor más determinante para predecir el veredicto fue el número de veces que el **fiscal** se encontró con la víctima. Cuantas más veces se encontró el fiscal con la víctima, más probable fue que el acusado fuera encontrado culpable.

- La oficina del **fiscal** necesita disponer de más recursos, no sólo para contactar y preparar a las víctimas, policía y otros testigos, sino también para conseguir las evidencias disponibles (grabaciones, fotografías de las lesiones, daños de propiedades, informes médicos).

- Los datos obtenidos sugieren que cuando las víctimas de la violencia doméstica llegan al juicio, las pruebas y factores relevantes que se deberían exigir sobre el maltrato y las lesiones raramente son presentados. Además, la presentación de **evidencias** como grabaciones, fotografías, informes médicos y testimonio policial no influyó en los veredictos.

▓ **Se «pierden» demasiadas víctimas mucho antes de que empiece el juicio.** En el cambio de procedimiento de contacto con las víctimas hay que evaluar y considerar la seguridad de éstas.

▓ A menos que un demandado admita los hechos del caso, **la víctima no es creída** y el demandado no es encontrado culpable del crimen del que fue acusado. Es difícil reconciliar estos resultados con la noción de justicia. Puesto que la violencia doméstica en la pareja es principalmente un crimen del hombre contra la mujer, los resultados de la investigación sugieren la pregunta de si los derechos civiles de las mujeres se están violando. **Actualmente el sistema legal parece ser cómplice de los maltratadores.**

▓ Notablemente, la única variable relativa a la víctima que no resultó relacionada con el veredicto fue si la víctima fue **citada** o no. Se recomienda que se acabe con la práctica de **citar a las víctimas**. No parece ser útil en absoluto, las conmociona y por otra parte no tiene impacto en el caso tal como se refleja en las conclusiones del estudio. Los tribunales han de mejorar su habilidad de procesar los casos de violencia doméstica **sin la presencia o cooperación de las víctimas.** Parte de esto se conseguiría si la policía estuviera más preparada para testificar en los casos en los que la víctima no puede ser encontrada o está demasiado asustada para testificar. También recomendamos que los **policías** reciban más formación de cómo testificar en un juicio sobre malos tratos y que se familiaricen más con los casos en los que testifican. Hay que proporcionar los medios para ayudar a «refrescar su memoria», mediante sus propias notas o los informes. Significativamente, en esta jurisdicción parece que el testimonio de la policía es más necesario en los casos en los que es menos frecuente: los casos en los que la víctima no está presente o no testifica, porque puede no saber que tiene el juicio, o puede tener miedo de las represalias del acusado. Sin embargo, raramente se espera que la policía testifique en estos casos. Aparentemente es «liberada» de testificar cuando la víctima no aparece.

- El 44 % de los acusados recibieron un **veredicto** de culpables. A la mayoría se les mandó que hicieran terapia o pagaran multas. El 51 % de los casos fueron sobreseídos (archivados). El 5 % resultaron «no culpables».

- Ninguna de las variables que median **los niveles de maltrato** fue significativa en cuanto al veredicto del juicio. La única variable relativa al acusado que fue significativamente relacionada al veredicto del juicio fue **si la víctima y el acusado estaban «juntos»** (ni divorciados ni separados). Los acusados que mantenían relaciones de pareja con sus víctimas en el momento del incidente resultaron convictos con más probabilidad que si no las mantenían.

- Una parte significativa de las transcripciones de los juicios fue la comparación de los casos en que los hombres eran acusados de violencia doméstica contra las mujeres, con los casos en que las mujeres eran acusadas de violencia doméstica contra los hombres. Este análisis, aunque preliminar, sugiere la existencia de dinámicas muy diferentes en ambos casos, y que en muchos de los casos en los que las mujeres son acusadas como maltratadotas, ellas probablemente son las víctimas.

- Hay que proporcionar un **entrenamiento** intensivo sobre violencia doméstica a los fiscales, a los abogados de las víctimas, a los jueces y a los abogados de oficio.

Estas conclusiones hablan por sí solas y muestran un panorama verdaderamente dramático que seguramente se puede extrapolar a países como España.

# Leyes sexistas

El cambio de la mentalidad colectiva es lento y esto no nos puede extrañar porque, por ejemplo, hace poco tiempo relativamente, en época de Franco, por ley el marido podía «corregir físicamente» a la mujer siempre que no la dejara lisiada. Es difícil sacar del «inconsciente colectivo» la creencia de que el hombre es un ser superior a la mujer.

No se trata sólo de prejuicios sociales, sino también de leyes sexistas y discriminadoras. Veamos algunos párrafos sobre el tratamiento jurídico de la violencia doméstica, extraídos del estudio anteriormente citado «La violencia doméstica: informe sobre los malos tratos a mujeres en España» realizado por Inés Alberdi y Natalia Matas:

- **A lo largo de la Historia,** las mujeres han tenido una situación de inferioridad legal que sólo desaparece cuando se inicia la transición democrática. Hasta entonces, las mujeres pasaban de la tutela del padre a la tutela del marido, y los derechos de las mujeres casadas eran equivalentes a los de los menores, debiendo a su protector obediencia. Además, necesitaban obtener el permiso del marido para emprender acciones tales como contratar, desempeñar un trabajo remunerado, viajar u obtener el pasaporte. El antiguo *ius corrigendi*, derecho del hombre a castigar a la mujer y del padre a los hijos, ha pervivido en las leyes españolas durante siglos. En el artículo 658 de este mismo Código se eximía a padres y ascendientes de la responsabilidad de herir o maltratar excepto en el caso de que «excediéndose de sus facultades lisiaren a alguno (…) si concurrieren en este delito, sufrirán un arresto de seis días».

- **Era práctica consentida y habitual** «disciplinar» a la mujer mediante la violencia. Muy distinta era la situación inversa: «Compréndese en este artículo la mujer que a sabiendas hiera o maltrate a su marido» (art. 649). La esposa era considerada en este caso como culpable expresa de agresiones, aunque no aparecía como receptora expresa de las mismas. En todos estos casos, el agresor recibía pena de prisión o trabajos forzosos, superior en dos años a la que se recibiría por agredir a un tercero con el que no tuviera ninguna relación familiar, lo que contrasta notoriamente con el arresto de seis días que se imponía a los hombres que pegaran palizas a sus hijos o a su mujer. Además, en este tipo de agresiones el inculpado también se podía amparar en otro atenuante, que era el **«estado pasional»**.

▪ Se equiparaba el castigo por las **agresiones físicas** del hombre al castigo por las provocaciones o **injurias verbales** de la mujer. Esta valoración diferenciada de las faltas entre cónyuges se expresa en el Código Penal hasta la reforma de 1983.

## El Síndrome de Estocolmo de la mujer maltratada

A medida que se ha ido investigando sobre el maltrato a la mujer se ha ido concluyendo que no sólo se producía depresión y estrés postraumático, sino que también era común que la víctima presentara la llamada «indefensión aprendida». Esta indefensión aprendida descrita por Ochberg[4] habla de los sentimientos positivos de la víctima hacia el captor y negativos hacia los que vienen a rescatarla. Actualmente hay un importante cuerpo de investigación que reconoce dicho síndrome como una de las secuelas más comunes en la violencia de género.

«La dinámica del maltrato a la esposa es muy similar a las técnicas usadas para controlar o hacer un lavado de cerebro a los prisioneros de guerra. Estas técnicas inducen dependencia, terror y debilidad, hasta el punto de que la persona victimizada por ellas tiende a quedar inmovilizada por la creencia de que está atrapada y no puede escapar».[5]

En un interesante trabajo de Symonds[6] se hace una comparación entre mujeres maltratadas y militares prisioneros, en los que la distorsión de la realidad llega a ser un verdadero «lavado de cerebro». «Para que ello ocurra se han de dar condiciones como aislamiento de iguales y humillación y degradación por el captor seguidas de alguna amabilidad, con la amenaza de volver al estado de degradación anterior». Como Symonds denota, estas condiciones son muy similares a las que experimentan las mujeres maltratadas. El maltratador impone restricciones sociales severas que contribuyen al aislamiento de la mujer. Muchos casos graves incluyen amenazas de muerte, abuso emocional y destrucción de las propiedades de la mujer. Además, el marido puede agredirla y humillarla para luego seguir su tratamiento con una «luna de miel»[7]... No es sorprendente que las víctimas se conviertan en zombies apáticas, desesperadas y totalmente sometidas al enemigo.[8]

En 1973 dos exconvictos intentaron robar uno los bancos más importantes de Estocolmo. Se quedaron atrapados en él con tres rehenes, dos mujeres y un hombre. Los secuestradores amenazaron la vida de los rehenes pero también les mostraron alguna pequeña amabilidad. Durante el tiempo de secuestro, seis días, los rehenes se identificaron con los captores y desarrollaron un vínculo emocional con ellos. Empezaron a percibir a la policía como a enemigos, y a los secuestradores como a sus amigos, como a su fuente de seguridad. Esta reacción aparentemente absurda fue documentada ampliamente por los medios de comunicación, ya que llamó para interesarse por el estado de los rehenes el entonces primer ministro de Suecia Olof Palme.

Todo el mundo se quedó estupefacto cuando los secuestrados se resistieron fuertemente a los esfuerzos del gobierno para rescatarlos, y defendieron a sus captores con insistencia. Meses después de ser liberados, los rehenes tenían todavía sentimientos afectuosos hacia los secuestradores que habían amenazado sus vidas. Las dos mujeres acabaron teniendo una relación con los captores.

A raíz de este incidente se acuñó el término Síndrome de Estocolmo, que después fue estudiado en profundidad para otros grupos de secuestrados. Se descubrió que ésta es una reacción común en situaciones de secuestro y que se trata de un mecanismo de supervivencia. Aunque el Síndrome de Estocolmo no está todavía en el manual de diagnóstico psiquiátrico DSM IV, tiene suficiente entidad propia y su existencia es ampliamente reconocida, sobre todo en ámbitos militares.

**Graham.** Dee L. R. Graham es profesora de Psicología en la Universidad de Cincinnati. Se ha especializado en temas como violencia de género, Síndrome de Estocolmo y renuncia de las mujeres a acusar a los maltratadores en el juicio.

Las teorías de Graham emergieron del análisis de nueve grupos diferentes de «rehenes» en los que se establecía un vínculo entre la víctima y el abusador/captor:

- Secuestrados
- Prisioneros de campos de concentración
- Miembros de sectas
- Prisioneros de guerra
- Civiles de la China Comunista sometidos a lavado de cerebro
- Mujeres maltratadas
- Niños abusados
- Víctimas de incesto padre/hija
- Prostitutas dependiendo de chulos

Concluyó que, «bajo las condiciones adecuadas, cualquiera que quiera sobrevivir desarrollará el SE».[9]

Después de obtener las conclusiones sobre rehenes diversos, Graham empezó a investigar el Síndrome de Estocolmo en mujeres maltratadas:[10] En 1994 apareció el más renombrado de sus libros: *Loving to survive. Sexual terror, mens violence and women's lives*[11], en el que desarrolla ampliamente el tema del Síndrome de Estocolmo de la mujer maltratada.

Las condiciones previas que desencadenan el síndrome son:

- El rehén cree que el secuestrador **amenaza** realmente su supervivencia.
- El secuestrador da muestras de algún tipo de **amabilidad**.
- El rehén queda **aislado** (física y/o psicológicamente) de otras personas.
- El rehén **no puede escapar** o cree que no puede.

En el caso de la violencia doméstica se dan las condiciones previas:

- **Amenaza.** Maltrato físico, psíquico o sexual, a ella o a sus hijos
- **Alguna amabilidad.** Momentos o periodos de «luna de miel».
- **Aislamiento y control** que impide la comunicación con personas que piensen de forma distinta o puedan ayudarla.
- **Sin escape.** Contactos frustrantes con el «exterior» cuando ella pide ayuda o sugiere el maltrato; de una forma u otra el agresor y la sociedad la convencen de que no hay escape de la violencia. Esta condición es la clave de la psicología del Síndrome de Estocolmo.
  La mujer aprende que no hay salida de la violencia cuando en diversos intentos de pedir ayuda y comunicar a conocidos, familiares y profesionales que está padeciendo un maltrato, recibe el mensaje de que es un problema privado, de que nadie debe meterse, de que él cambiará, de que por el bien de sus hijos debe quedarse, de que es muy difícil probarlo, etc. Esta situación, unida a las amenazas (muchas veces cumplidas) del maltratador, la llevan a regresar con él o retirar las denuncias adaptándose al terror doméstico.

## «A mí no me pasaría»

Desde el exterior no es fácil comprender por qué la mujer maltratada no deja al agresor. Muchas mujeres dicen: «Si a mí me maltrataran, yo me iría inmediatamente», pero estas mujeres no suelen saber lo que es estar en una situación continuada de peligro extremo y sin escape.

---

Creer que una víctima es diferente de uno mismo, que la víctima lo fue por su forma de vivir o ser, nos tranquiliza y nos hace sentir seguros, pero no nos hace entender por qué la gente desarrolla el síndrome. Si alguien apunta una pistola a tu cabeza y te dice: «Si intentas escapar te mataré», ¿es probable que intentes escapar? Probablemente intentarás convencer a tu captor de que te deje vivir, buscarás sus amabilidades y su amistad. ¿Significa eso que eres débil de personalidad o que te han educado en la sumisión? No, únicamente estarás luchando por tu supervivencia.

Las víctimas con el síndrome no siguen con los maltratadores porque se hayan vinculado a ellos, sino que están con ellos porque no tienen manera de escapar. El rehén que ve una forma segura de escapar escapa. Si vuelve con el secuestrador es por su temor a sufrir las represalias si no lo hace, aunque ni la misma víctima se dé cuenta de que está volviendo por miedo y no por amor.

Dee Graham y Edna Rawlings, *Loving to survive*

---

Cuando el objetivo primordial del rehén no es la supervivencia, no se desarrolla el síndrome. Una persona normal y sana que quiera seguir viviendo y sufra un secuestro violento sin escape, generará en mayor o menor medida el Síndrome de Estocolmo, independientemente de si es hombre o mujer. «En contra de la creencia popular sobre los sexos, el SE tiene la misma probabilidad de desarrollarse en hombres que en mujeres. Además, ningún grupo de edad está libre de desarrollarlo».[12]

Las recomendaciones a las personas secuestradas para aumentar su probabilidad de supervivencia[13] coinciden con la sugerencia de que se hagan más «femeninos» (en el mal sentido de la palabra):

- **Dar soporte al dominante.** «Mantener la esperanza y hacer aquello que asegura que su captor la mantenga. Un secuestrador sin esperanza puede rendirse, matándose a sí mismo y a los rehenes. Permanezca calmado y anime al secuestrador para que lo esté».
- **Perder la propia identidad.** «Confúndase con los otros rehenes, no destaque».
- **Anticiparse a la conducta del dominante.** «Descanse temprano para no dejarse llevar por el malhumor que su captor pueda tener a causa del cansancio».
- **Apagar la cólera.** «Sea extremadamente precavido en cuanto a las oportunidades para escapar. Un fracaso puede conllevar represalias contra usted; un éxito puede desencadenar represalias contra los otros rehenes».

Los rehenes se comportan así porque quieren seguir vivos y las mujeres maltratadas que quieren sobrevivir se transforman en seres sumisos y complacientes. Las mujeres maltratadas y los niños abusados no son maltratados porque tengan un defecto en su personalidad o antecedentes de abuso; «cualquiera puede ser rehén y maltratado».

---

Si en estos momentos entrara alguien armado con una pistola y, amenazando matarte, pusiera el cañón en tu sien; si dijera que si te movías te mataba y esa situación se prolongara en el tiempo, pasarías por distintas fases en tu interacción con el secuestrador. Primero te asustarías, tu corazón se dispararía, temblarías... A medida que pasara el tiempo intentarías tranquilizar al agresor, entender sus motivos, hacerle ver que tú no estabas contra él. Si te dejara ir al aseo y luego te siguiera amenazando agradecerías profundamente su gesto, valorándolo como propio de alguien con buenos sentimientos. No mostrarías tu enfado diciéndole algo así como: «¡Desgraciado, quita inmediatamente la pistola de mi cabeza!», sino que le dirías: «Por favor, ¿puedes quitar la pistola de mi sien derecha, que me duele, y ponerla en la izquierda?». Probablemente intentarías convencer a tu captor de que te dejara vivir, buscarías sus amabilidades y su amistad. ¿Significaría eso que eres débil de personalidad o que te han educado en la sumisión? No, únicamente estarías luchando por tu supervivencia.

# ¿En qué consiste el Síndrome de Estocolmo?

¿En qué consiste entonces el Síndrome de Estocolmo? ¿Qué sentimientos, pensamientos y conductas aparecen como consecuencia de las cuatro condiciones precursoras?

Las estrategias de supervivencia que la mujer va adoptando para poder convivir con el maltratador son recursos y distorsiones de su forma de sentir y actuar que le permiten sobrellevar las agresiones sin hundirse psicológicamente. Al repetir día a día estos mecanismos de defensa y supervivencia, éstos acaban por transformar la personalidad de la víctima y quedan fijados en su forma de ser. Se produce un verdadero lavado de cerebro como el que pueda sobrevenir, por ejemplo, al pertenecer a una secta o al estar en un campo de concentración. Emociones, pensamientos y conducta se distorsionan para poder soportar el terror que no acaba.

## Distorsiones emocionales
### ELLA POTENCIA LAS EMOCIONES POSITIVAS

El afán de supervivencia la lleva a buscar con avidez cualquier expresión de amabilidad, empatía o afecto hacia ella en la conducta del maltratador. Si llega a percibirla se llena de esperanza pensando que él no la maltratará más. «Cuando mi pareja es menos crítico conmigo, me lleno de esperanza».

La mujer exagera y se focaliza en los aspectos positivos del maltratador. Cualquier comportamiento mínimamente amable se interpreta como una cualidad, generosidad o delicadeza especial; esto permite a la mujer liberar el estrés acumulado y sentir agradecimiento, solidaridad y esperanza. El ser humano necesita una esperanza para sobrevivir, por pequeña que sea, y si no la tiene se la imagina: «Cualquier amabilidad de mi pareja crea en mí la esperanza de que las cosas irán mejor».

Por otra parte, que ella tenga una visión positiva del compañero hace más probable la aparición de sentimientos positivos en el maltratador. Un sentimiento positivo hacia alguien hace más probable el sentimiento recíproco. Si queremos mucho a alguien, es más fácil que ese alguien nos quiera. Empieza así el vínculo traumático con el lado positivo del maltratador.

## ELLA NIEGA SUS EMOCIONES NEGATIVAS

Niega y minimiza el abuso, niega el terror, porque reconocerlo la paralizaría y tiene que «tirar del carro» de la familia y los hijos. El pánico, la sensación de aniquilación psíquica la dejarían sin respuesta y no se lo puede permitir. «Me resulta muy duro plantearme si la relación con mi pareja es buena para mí; prefiero no pensar en ello».

Niega también la rabia, ya que si la expresa invita al agresor a tomar represalias. Una respuesta defensiva directa podría poner en juego su supervivencia. Se vuelve muy sumisa, tiene dificultad en expresar la cólera, evita los conflictos. Se vuelve indecisa y pasiva.

Para poder negar el lado negativo del maltratador se distancia emocionalmente de la realidad, desconecta como si fuera un sueño, duerme o trabaja en exceso. Tiene una sensación de «encapsulamiento» o percepción reducida, se centra en lo inmediato y no se puede concentrar en otros aspectos de la realidad. Puede llegar a sufrir amnesia parcial o total de los incidentes más violentos. Pero las emociones no se pueden contener indefinidamente; acaban por surgir como el agua contenida de un torrente. La mujer se encuentra sintiendo emociones ambivalentes respecto a su pareja, sus relaciones son inestables e intensas y pasa de idealizarlo a devaluarlo: «Tengo sentimientos conflictivos respecto a mi pareja».

A un nivel inconsciente, la víctima ve al maltratador como totalmente bueno y a ella como totalmente mala, o al revés. Unas veces lo ama y otras lo teme; por un lado rechaza a la persona que la maltrata o amenaza y por otro, para poder sobrevivir, se vincula a ella con la esperanza de parar su maltrato. Estas fuerzas opuestas son muy intensas y acaban por generalizar esta dinámica en las relaciones con otras personas.

Para la víctima de un largo maltrato las personas son muy buenas o muy malas. Tan pronto critica como halaga.

## Distorsiones cognitivas
CAMBIA SU PUNTO DE VISTA AL DEL MALTRATADOR

- **Sobre el mundo.** La víctima, inconscientemente, intenta ver el mundo como el abusador lo ve para anticiparse y mantenerlo contento con sus necesidades satisfechas. Acepta los planteamientos políticos, sociales o de género de él. Si él milita en un partido político ella acabado militando en el mismo partido y se vuelve la partidaria más fanática. Él es sexista y ella se convierte en la primera enemiga de las mujeres que destacan, hablan u opinan por sí mismas. La mujer maltratada no quiere identificarse con su propio grupo. Es dura y muy crítica con las otras mujeres. Le gusta competir con ellas y descalificarlas. «Yo me entiendo mejor con los hombres que con las mujeres».

- **Sobre sí misma.** La mujer maltratada se ve a través de los ojos del maltratador y acepta su culpabilidad por el maltrato. Esto le da una falsa sensación de control, ya que se dice que si ella cambia y coopera el maltrato acabará. La víctima gasta mucha energía y tiempo imaginando lo que hace mal, e intentando mejorar para que el abuso acabe. Cree que si fuera mejor persona o mujer, no sería maltratada: «No soy una buena compañera, hago que mi pareja se enfade conmigo».

    «No se tiene que ser victimizado para creer que uno ejerce control sobre lo incontrolable y los acontecimientos casuales».[14] «La investigación indica que las personas que creen tener control, aunque no lo tengan, se adaptan mejor al estrés y muestran más capacidad de resistencia».[15] Se da a veces la paradoja de que la mujer se autoculpa de provocar al maltratador: «El problema no es que mi pareja sea una persona furiosa, es que yo le provoco».

Cuanto menos control real tiene la víctima y más graves son las consecuencias de no tener control (es decir, es más severo el abuso), es más probable que la víctima se culpe a sí misma. La autoculpa permite a la víctima no sentirse como tal, no estar abrumada y crear un vínculo con el abusador.

- Se reconoce como inferior. Halaga y cuida el ego masculino a expensas del suyo. Asume la posición de «felpudo» con los hombres. Se rebaja o desprecia a sí misma humorísticamente. Odia aquellas partes de sí misma que el maltratador desprecia o a las que adjudica su cólera: «Odio las partes de mí que hacen que mi pareja me critique o se enfade conmigo».
- Cree que tiene que ser perfecta y que no vale nada, por lo que merece el maltrato.
- Cree que no merece el amor de otras personas: «Hay algo en mí que hace a mi pareja incapaz de controlar su cólera».
- Proyecta su propia condición de víctima en el agresor, como si él fuera inocente y estuviera influenciado por la maldad de otras personas (generalmente mujeres como su madre), por fuerzas internas o por adicciones incontrolables. Se da explicaciones superficiales para justificar el abuso; «echa pelotas fuera» igual que hace el maltratador, ve la causa del maltrato como externa a él. «Mi pareja es como yo, una víctima del odio de otras personas»; «Sé que mi pareja no es una persona violenta; él solamente pierde el control»; «Si no fuera por la bebida mi marido sería el mejor de los hombres»; «Se comporta así porque está en el paro desde hace mucho tiempo».

## OCULTAMIENTO

La mujer maltratada no quiere que otros se enteren de cómo la trata su pareja. Se lo oculta al mundo y a sí misma. «Me encuentro defendiendo y excusando a mi pareja cuando hablo de él con otros»; «Hay cosas que me ha hecho mi pareja de las que prefiero no acordarme»; «Hago bromas con otras personas sobre las ocasiones en que mi pareja se enfadó mucho conmigo».

La mujer se pone sistemáticamente de parte de su pareja frente a otras personas, ¡aunque éstas la estén defendiendo a ella! «Si otros intentan intervenir en mi defensa cuando mi pareja me critica o se enfada conmigo, me pongo de parte de mi pareja y en contra de ellos».

## APRENDE A CONOCER AL DETALLE EL COMPORTAMIENTO DEL MALTRATADOR

Ella conoce muy bien sus costumbres y deseos, lo que le permite anticiparse en lo posible a sus brotes de violencia. Estudia cuidadosamente los puntos en que puede influir «al jefe»; está muy atenta a lo que le gusta o le disgusta. En casos extremos permite incluso el abuso sexual de los hijos o se comporta como si no se enterara de lo que está ocurriendo. El varón es el dios al que hay que rendir culto y dar todo lo que pide, aunque sea sacrificando a los niños, sobre todo a las niñas. «La protección y el amor de mi pareja son más importantes que cualquier daño que pueda causarme».

La mujer maltratada sabe mucho de su pareja y muy poco de sí misma. Ve las necesidades y deseos del agresor como si fueran las suyas. Si ella está cansada no se preocupa y sigue trabajando; si él está cansado le cuida como si fuera la persona más cansada del mundo. Se niega a atender sus propias necesidades, reconocer sus sentimientos y perspectivas. Se disocia de su cuerpo para no sentir el dolor creado por el secuestrador. Sin embargo, y como compensación, somatiza «su dolor» reclamando atención de los servicios sanitarios y sociales.

## CREE QUE AMA APASIONADAMENTE AL AGRESOR

Está muy pendiente de él, lo cuida, es sumisa con él, se le acelera el corazón cuando él llega. Es fácil interpretar esta excitación fisiológica y esta conducta como indicadores de fuertes sentimientos positivos hacia él. «La falsa atribución de la víctima que adjudica al amor y no al terror su excitación es una distorsión cognitiva que se desarrolla en las víctimas que no ven modo de escape. Cuanta más excitación, más fuerte es el vínculo experimentado por las víctimas. Cuanto más hipervigilantes están las víctimas hacia la amabilidad del agresor, interpreta que es más fuerte el vínculo. Cuanto más duro tiene que trabajar la víctima para ganar al abusador, más fuerte es el vínculo de la víctima con el abusador». «Una vez el sujeto ha identificado la experiencia como amor, es amor».[16]

Se realizó un experimento con parejas que no se conocían previamente, provocando un primer encuentro en dos tipos de ambiente: una habitación cómoda y tranquila, o un puente colgante sobre un precipicio. Las parejas que se conocieron en este segundo ambiente crearon muchos más vínculos amorosos que las otras. Parece ser que el cerebro empareja la excitación del peligro (sistema nervioso simpático) con la excitación del amor. Nuestra cultura nos presenta un modelo de lo masculino violento y dominante, los héroes de ficción vencen a través de la agresión, no a través de la resolución pacífica del conflicto. Son competitivos, soberbios y su sexualidad es cercana a una violación. Esta perspectiva refuerza la vivencia interna de la mujer maltratada sobre su pareja, la convence de que eso que ocurre entre los dos es un amor apasionado y fatal, y que lo que le pasa a su compañero es que «es muy macho». Ella en contraposición ha de ser muy femenina y dejarse proteger por él: «Necesito el amor y la protección de mi pareja para sobrevivir». Este tipo de amor *no es amor*. El amor verdadero implica libertad e igualdad, y aquí uno de los dos componentes de la pareja se cree superior al otro y lo somete a la fuerza. «El truco» está en convencer al oprimido de que esto es así por su bien, ya que sin la guía y dominio del dominante el «esclavo» no podría sobrevivir. Cuando el lavado de cerebro culmina, la mujer maltratada es totalmente dependiente del maltratador, el *amor-dependencia* que siente por él le hace realizar esfuerzos frenéticos por evitar un abandono real o imaginado, aunque la esté tratando como a un perro: «No puedo vivir sin él»; «Estoy muy unida a mi pareja».

Ella se vuelve muy sensible al rechazo; hace intentos de suicidio para llamar la atención de él, conseguir su compasión, amor o, simplemente, que no la deje. En el argot hospitalario se llama «pastilleras» a este tipo de suicidas. Son mujeres capaces de cualquier cosa con tal de que su torturador no las deje. Desde luego, esto *no es amor*.

La mujer maltratada ha negado el lado violento y terrorífico del abusador, ha negado su propia cólera, y además se nota excitada y dependiente de él. No resulta extraño que no vea razón para dejar al abusador, cree que ella es la única que lo entiende: *«Si le doy a mi pareja el amor suficiente, él dejará de enfadarse tanto conmigo».*

Se dice todo esto a sí misma porque tiene miedo de perder la única relación positiva disponible durante el largo periodo de aislamiento. El maltrato la ha anulado, la ha dejado sin amistades, sin recursos externos, sin vínculos humanos; su único contacto con el exterior es él, su único filtro de la realidad es lo que él dice, lo que él piensa; su único interlocutor es él. Por eso, quedarse sin él es quedarse sin la última forma de existencia posible. En el exterior se siente inútil, tonta, fea, torpe; ya no hay vuelta atrás, sin su pareja no puede vivir: *«Sin mi pareja, la vida no tiene sentido para mí».*

Ella cree que necesita su amor para sobrevivir y la sociedad se lo corrobora cuando le muestra que una mujer sin un hombre al lado parece estar incompleta o no ser nadie. Ella ve a las mujeres separadas como dignas de compasión, considera la soledad como el peor de los castigos. Da a los otros una versión idealizada de su relación con el maltratador, se cuenta una historia romántica y ñoña como droga que la hace olvidar su dolor.

## Distorsiones conductuales

### ELLA DESARROLLA MECANISMOS DE DEFENSA ANTE LA VIOLENCIA

- **Simulación.** Simula un placer sexual que no siente, y una admiración inexistente ante acciones mediocres o sin mérito. Maneras deferentes. Halagos. Disimulo de los sentimientos reales. «Artimañas femeninas». Es importante para la seguridad de la víctima que el ego del maltratador esté satisfecho.

- **Intenta ganarse su compasión.** «Crisis nerviosas», desmayos, somatizaciones. Es una forma primitiva de decir al agresor: «No me pegues, ¿no ves que me encuentro mal?».

- **Intenta tranquilizarlo con un comportamiento aniñado.** Está comprobado que las personas violentas se tranquilizan con los niños. La mujer maltratada se comporta instintivamente como una niña frágil e indefensa para que el maltratador no vea en ella una enemiga. Hace el payaso, sonríe y ríe sin sentido. Es «muy mona» y gazmoña. Usa un tono de súplica o infantil con entonación característica acabada en inflexión ascendente. Mira humildemente hacia abajo. Hace falsas demandas de ayuda. Su apariencia es de indefensión. Se muestra dependiente, con falta de iniciativa, incapaz para decidir o pensar por sí misma, etc. Si no se aniña en su comunicación, él puede interpretar sus afirmaciones como oposición o rivalidad. Tiene que demostrarle que ella no está en contra de él y que él no tiene nada que temer de ella. Tiene que demostrarle que ella no compite con él, que no es una «marimacho». La mujer se mete en su papel y acaba viendo al captor como a una figura paterna, sintiéndose como una niña frente a él.

### DURANTE EL PROCESO DE LIBERACIÓN LA VÍCTIMA SE OPONE A LA JUSTICIA

Se asusta más de los que vienen a liberarla que del agresor. La mujer maltratada ve al maltratador como al «bueno» y a los que se oponen a él como a los «malos». Le molestan las «intromisiones» de extraños que intentan liberarla. Critica y se burla de las feministas y dice que odian a los hombres y que envidian su superioridad.

En casos de secuestros de larga duración o de mujeres maltratadas, la liberación o separación del maltratador genera una combinación paradójica de gratitud y miedo. La víctima encuentra psicológicamente difícil dejar al captor. Los antiguos rehenes visitan a sus captores en la cárcel, retiran las denuncias e incluso pagan al abogado que los defiende. Minimizan el daño que les han hecho y rechazan cooperar con la Justicia.

> El 80 % de las sentencias absolutorias de malos tratos se debe a que las víctimas no acuden al juicio o no ratifican la denuncia.
>
> Margarita Retuerto, Vocal del Consejo General del Poder Judicial

La dinámica cíclica del maltrato mantiene a la mujer atrapada en un juego desesperado. Su impulso es ambivalente: por una parte quiere librarse del compañero que la maltrata y amenaza, y por otra parte quiere permanecer a su lado, última ironía del vínculo traumático. Hay un desequilibrio de poder en la base de esta actitud: la mujer aislada se siente totalmente dependiente del hombre, se valora poco y está confusa por la naturaleza intermitente del maltrato.

La mujer maltratada cree que el agresor puede volver a «secuestrarla». Teme incluso sus propios pensamientos «desleales», ve al captor como omnipotente y siente un profundo agradecimiento por que no la haya matado. La víctima sigue siendo leal al abusador durante mucho tiempo. Sabe que si él la atrapa y la acusa de deslealtad, el castigo será mucho mayor que el maltrato anterior. La ha amenazado con encontrarla si se va, y matarla a ella y/o a sus hijos. Ella lo cree capaz de hacerlo y permanece leal en anticipación de su vuelta. El estrés le hace perder la perspectiva de las opciones reales y el miedo la paraliza; además sabe que un intento de denuncia o escape puede transformar una violencia tolerable en una situación letal.

## Secuelas de un secuestro prolongado

Si el abuso es suficientemente severo, a largo plazo puede llegar a cambiar la personalidad de la víctima. Los rasgos de la personalidad no sólo se modifican en la infancia y adolescencia, sino también en la edad adulta. Después de años de maltrato la persona puede haberse vuelto insegura, inestable, irritable y cambiar con rapidez de estado de ánimo.

■ **Su personalidad se hace camaleónica.** «Tengo personalidades distintas según con quién estoy».

■ **Tiene dificultades interpersonales.** «Cuando empiezo a conseguir intimidad con la gente, algo malo ocurre».

■ **Se esfuerza por que la gente la quiera,** vive muy mal el rechazo. «No puedo soportar ni siquiera la sospecha de que alguien me rechace de alguna manera».

■ **Puede controlar mal** sus impulsos de forma autodestructiva (gastos excesivos, atracones de comida, adicciones). Puede realizar autolesiones, intentos de suicidio.

Las secuelas más graves a largo plazo del Síndrome de Estocolmo son:

■ **Generalización.** «Una prolongada exposición a los cuatro precursores del SE hacen que la víctima generalice la psicodinámica víctima/abusador a sus relaciones con otros»[17]. Un animal que ha aprendido a dar una respuesta determinada a un cierto estímulo dará esta misma respuesta a estímulos parecidos.

La mujer maltratada durante largo tiempo tenderá a vincularse con otros hombres de la misma manera que con el maltratador, es decir, sólo porque sean hombres los tratará como a seres de primera clase y esperará de ellos la misma explotación que recibió de su pareja maltratadora. Le costará ponerles límites y se sentirá responsable de que la relación funcione, aunque para ello tenga que anularse y someterse. Cree que el amor es un vínculo traumático y violento, y en nuevas relaciones intentará recrear los intensos sentimientos que le inspiraba el maltratador.

■ **Pérdida de la identidad propia,** excepto como experimentada a través de los ojos del abusador.

- ■ No sabe cómo es ni lo que quiere. No se imagina en el futuro. «Cuando otros me preguntan cómo me siento sobre algo, no lo sé».
- ■ Está desorientada. Se siente incapaz de tomar decisiones. Se ve a sí misma menos válida, y menos capaz que otros, culpable de los problemas del captor. Se siente indefensa y sin poder. «No puedo tomar decisiones».
- ■ Teme también perder la única identidad que conserva, su yo tal como lo ven los ojos del abusador. «Sin mi pareja, no sabría quién soy yo».
- ■ Tiene miedo de ser abandonada, de estar sola, de no ser capaz de vivir sin el agresor, de no saber quién es sin él, de sentirse vacía, etc.

**El maltratado aprende a maltratar.** El maltratado aprende a maltratar, la víctima se vuelve verdugo. La mujer maltratada durante largo tiempo desvía la rabia que de forma natural se tendría que dirigir al agresor, hacia sí misma o hacia otras personas que considera inferiores al maltratador o con poco poder (mujeres, niños). Intenta controlarlas para que no provoquen la ira del varón. De esta manera el ciclo de la violencia se reproduce a sí mismo. Así, como es raro que la mujer maltratada maltrate a su agresor, sí es frecuente que después de una larga victimización acabe maltratando psicológicamente o discriminando a sus hijos, en especial a las niñas, y también a otras mujeres que considera seres de segunda clase. La cólera se desplaza y ella puede tener dificultades para controlar la ira, el enfado constante, etc.

## La sociedad y el Síndrome de Estocolmo

Lo que la sociedad cree que piensan los rehenes de un secuestro suele ser completamente erróneo. De la misma forma la gente desde fuera no suele comprender la verdadera situación que está viviendo la mujer maltratada, ni sus motivos para vincularse con el maltratador. Tampoco los profesionales del Derecho y la Sanidad tienen demasiada formación sobre el Síndrome de Estocolmo; sus expectativas sobre el comportamiento de la mujer víctima del maltrato son bastantes irreales en general.

Desde fuera se espera que la mujer maltratada...

- Piense que nadie tiene derecho a amenazar o maltratar a otra persona.
- Esté enfadada con su pareja .
- Perciba la indiferencia del maltratador frente a su sufrimiento.
- Escape en cuanto tenga oportunidad.
- No se preocupe por la muerte o bienestar del maltratador.
- Vea a la policía como a «los buenos» y a su pareja como al «malo».
- Se polarice en contra de la ideología del maltratador.
- Quiera la máxima pena para su pareja.
- No permanezca leal a su captor después de la liberación.
- Se sienta segura una vez liberada.

Pero en realidad...

- Siente gratitud hacia el captor por dejarle ir.
- Le resulta difícil sentir rabia hacia él.
- Ve al maltratador como amable.
- Para ella, «una puerta abierta no parece una puerta abierta».
- No intenta escapar si el raptor puede morir en el intento.
- Ve al captor como al «buen chico» que la protege y a la policía como a «los malos» que intentan matarlos.
- Simpatiza con la ideología del maltratador.
- Puede negarse a testificar contra su captor. Es indulgente con él e incluso lo ayuda.
- Sigue leal al maltratador después de la liberación, no sintiéndose suficientemente segura para ser desleal sin esperar un castigo.
- No se siente segura después de la liberación. Temer volver a ser capturada.

## Diferente respuesta social a secuestros y violencia doméstica.

El sexismo de la sociedad hace que a los secuestros de móvil económico o político se dé un tratamiento totalmente distinto al que se da al secuestro por violencia de género.

### EL REHÉN DEL SECUESTRO DE MÓVIL POLÍTICO O ECONÓMICO...

- Es típicamente varón. La sociedad desalienta la pasividad, la cortesía y el trato respetuoso en los hombres, por lo que valora que ataquen al captor en defensa propia.
- El inicio del abuso no es solapado, sino repentino y claro.
- Periodo de victimización corto: días, semanas o meses.
- El secuestrador generalmente no pretende competir de forma personal con el rehén, ni destruir su autoestima. Su objetivo suele ser político o económico.
- Las autoridades y los medios sienten simpatía por el rehén y comprenden que éste no tiene control sobre su situación.

- Otras personas negociarán la liberación con el agresor. Muchos rehenes son liberados o rescatados por el gobierno.
- Las negociaciones para la liberación no dependen de que los rehenes prueben no haber provocado ser secuestrados.
- Los gobiernos intentan capturar y castigar a los secuestradores.
- Los rehenes que matan a sus captores son vistos por la sociedad como héroes.
- Los rehenes sienten que sus captores, aunque estén en la cárcel, volverán a por ellos. Sin embargo, raramente lo hacen.
- El Estado trata a las víctimas y a su familia como a héroes, los indemniza generosamente y si hay muertes va a los entierros.

## LA REHÉN DEL SECUESTRO DOMÉSTICO...

- Es típicamente mujer. La sociedad promueve la pasividad, la cortesía y el trato respetuoso en las mujeres.
- El inicio del abuso suele ser muy lento y solapado. Se produce una habituación y con ella una adaptación. No se detecta la agresión hasta que es muy grave.
- Periodo de victimización largo. Puede durar décadas.
- El maltratador intenta convencer a la mujer de que carece de cualidades y todo lo hace mal, a la vez que él se presenta como especialmente perfecto e inteligente.
- A las mujeres maltratadas se las culpabiliza de querer seguir con el agresor y merecer el abuso: «Si no se van es porque no quieren».
- La mujer maltratada tiene que negociar con el agresor y encontrar la forma segura de escapar sin ayuda de nadie.
- A menos que la mujer pueda probar que sufrió una agresión contra su vida, los extraños no van a intervenir. Tiene que probar que no miente, que no está loca y que no le ha agredido a él.

- Los agresores son raramente castigados incluso con décadas de abuso, a menos que la mujer o los hijos mueran.
- El 80 % de las mujeres maltratadas que matan a sus maltratadores son juzgadas culpables y van a la cárcel.
- Los maltratadores suelen volver a por las mujeres y a veces las matan.
- En la sociedad, ser mujer maltratada es un estigma vergonzoso. No reciben indemnización y si mueren los políticos no van a los entierros.

# Principales motivos por los que la mujer maltratada no mantiene la acusación

- **El miedo a las represalias del acusado.** La mujer suele ser amenazada por su pareja si denuncia y, de hecho, en muchos casos ellos cumplen su amenaza.

- **Las acusaciones del acusado a la víctima** (ellos dicen haber sido maltratados psicológicamente por ellas, que están locas, que mienten, que sufren adicciones, que les engañaban, etc.). El juicio al maltratador, a veces, se convierte en un juicio a la víctima.

- **La frecuente ausencia de evidencias físicas** (en ciertas agresiones que no dejan lesiones claras, como por ejemplo intentos de estrangulamiento, amenazas de muerte, trato degradante, etc.). Cuando no hay lesiones, testigos, ni evidencias del maltrato, es muy difícil llevar adelante la acusación.

- **El desconocimiento y miedo ante los tribunales y la ley.** Al no recibir la información y preparación adecuadas por parte del fiscal, ellas creen que lo van a hacer mal y que eso puede hacer que su agresor no sea encontrado culpable si testifican contra él.

- **El Síndrome de Estocolmo de la mujer maltratada,** que hace negar la agresión y retirar la denuncia. En estos casos la mujer, más que denunciar, suele poner una demanda de separación con la intención de advertir y escarmentar a su cónyuge y que éste cese por fin en su comportamiento agresivo.

- **La influencia del sexismo social,** que pretende que la mujer perdone basándose en falsos valores. La unidad de la familia es percibida como un bien supremo a conservar, ya que la ruptura supone un fracaso y una vergüenza. La cultura patriarcal prescribe que una mujer debe anteponer este bien a sus propias necesidades, que se ven como egoístas. El valor de la intimidad opera en el mismo sentido: la resignación ante la agresión se justifica como salvaguarda de la intimidad de la familia. La entrada de la justicia supone dar publicidad y difundir la coacción privada, que pertenece al mundo de la familia y en el que el Estado no debe entrar. («Informe sobre los malos tratos a mujeres en España», Inés Alberdi y Natalia Matas, Colección «Estudios Sociales», Núm. 10, «La Caixa»).

- **Las mujeres de clase media y media alta** suelen solicitar la separación matrimonial, pero sin denunciar los malos tratos. Saben que su situación económica y familiar después de la separación puede ser más ventajosa si llegan a un acuerdo con su cónyuge.

- **Además,** no faltan los abogados que por inexperiencia, desconocimiento de lo penal y miedo a un juicio duro y complicado recomiendan a sus clientes que opten por la vía civil.

*No es extraño que las mujeres maltratadas retiren las denuncias.*

# Finales del proceso de victimización de la mujer

Si el proceso violento no se corta y la mujer no se libera del maltrato, se pueden dar los siguientes finales de este terrible itinerario:

1. **Síndrome de Estocolmo.** Adaptación de la víctima y reproducción del proceso violento en ella o en sus hijos. Aunque haya habido denuncias, la mayor parte de las veces quedan en nada y la mujer acaba por desistir.

   - Un informe del médico forense Miguel Lorente revela que nueve de cada diez agresiones quedan sin denunciar y que del resto, la mayoría no culmina el proceso judicial: «El 60 % de las denuncias se queda en el camino por diferentes motivos, sea la falta de pruebas, defectos de forma en las denuncias, no admisión judicial o, las más de las veces, la retirada de la denuncia por parte de la mujer». «Sólo el 19 % de las denuncias por malos tratos se transforma en diligencias previas por lesiones».

   - «Cuando se acude a denunciar se suele llevar aguantando la violencia una media de siete años». Ministerio del Interior español.

   - «Fenómeno iceberg». En la práctica sólo se denuncian en nuestro medio entre un 5 y un 10 % de los casos. Instituto de la Mujer.

2. **Muerte física o lesiones graves con secuelas irreversibles: femicidio.** Las cifras de muertas por malos tratos son engañosas: «Las mujeres que mueren a causa de una paliza, un apuñalamiento o un tiro pero que sobreviven más de un día en el centro hospitalario no aparecen en los informes forenses como víctimas de esta violencia, sino que se refleja la parada cardiaca, respiratoria, la hemorragia interna, etc. Lo mismo ocurre con mujeres a las que las palizas adelantan la muerte por el deterioro de los órganos internos. Y ¿quién contabiliza los suicidios? ¿Qué periodista ha investigado las

mujeres en centros psiquiátricos como consecuencia de la violencia de sus parejas?». (Begoña Marugán, integrante del Colectivo Abierto de Sociología).

---

Según la Red Feminista Española, el 29/11/2003 la contabilización de muertas a lo largo del 2003 por violencia de género fue 88:

Ámbito doméstico . . . . . . . . . . . . . . . . . . . . . . . . . . . . . . . . . . . . . . . . . . . . . 75
Agresión sexual con resultado de muerte . . . . . . . . . . . . . . . . . . . . . . . . . . . 4
Prostitución/Tráfico de mujeres . . . . . . . . . . . . . . . . . . . . . . . . . . . . . . . . . . . 5
Otras (relaciones esporádicas) . . . . . . . . . . . . . . . . . . . . . . . . . . . . . . . . . . . 4
Casos pendiente sin datos suficientes. No computadas . . . . . . . . . . . . . . . 10

---

Si sólo hablamos de violencia doméstica se está falseando el resultado real de mujeres muertas por sexismo. Las muertes computadas en esta tabla se acogen a la definición que Naciones Unidas hace de la violencia de género.

3. **Suicidio.** Muerte física inducida por el compañero.
Si se tuvieran en cuenta las muertes por suicidio en casos de violencia doméstica, las cifras de muertas aumentarían enormemente.

---

En Estados Unidos uno de cada cuatro suicidios de mujeres sucede en víctimas de violencia doméstica. Mujeres Hispanas en Acción, Florida.

---

4. **Muerte psíquica** con un deterioro profundo (ingreso en psiquiátricos o mantenimiento con altas dosis de psicofármacos).

5. **Homicidio.** Ella mata al agresor en defensa propia.

# Maltratadoras

**El mito del «síndrome del marido maltratado».** Últimamente casi siempre que se habla del tema de la violencia de género en público, ya sea en una emisora de radio, una conferencia o un curso, aparece alguien interesándose por los hombres maltratados. Estas intervenciones afirman que hay casi tantos como mujeres y que, por otra parte, las mujeres suelen maltratar más psicológicamente. Vamos a intentar aclarar en este capítulo de dónde proviene el mito del hombre maltratado por la mujer, y qué ocurre en realidad con los malos tratos ejercidos por mujeres.

Jack C. Straton, Ph.D., profesor de la Universidad de Portland, participa con varios artículos en la valiosa web europea «European men profeminist» (www.europrofem.org). Recomiendo encarecidamente esta página porque abre una vía de esperanza con planteamientos muy correctos sobre una nueva masculinidad.

Según explica Straton, es tal el encarnizamiento supuestamente humanitario y científico del Lobby masculino, que pretenden que se desvíen parte de los fondos dedicados a la asistencia a mujeres maltratadas y a casas de acogida, a servicios y casas para hombres maltratados por las mujeres. Por otra parte, están dedicando tiempo y dinero a investigaciones pseudocientíficas que intentan demostrar que los malos tratos son equiparables entre hombres y mujeres. El ataque más vengativo contra la seguridad de la mujer es el mito de que el hombre es maltratado con la misma frecuencia que ella.

En 1980 y 1985 Straus, Gelles y Steinmetz publicaron en Estados Unidos estudios de conflictos entre esposos, obteniendo que las tasas de violencia eran casi las mismas para hombre y mujer. Presentaron como prueba los resultados del CTS,[18] primer instrumento psicométrico que supuestamente medía violencia física y psicológica ente hombre y mujer.

Científicos serios e impecables, de credibilidad ampliamente reconocida como Emerson, Russell Dobash y Edward Gondolf, y de ambos géneros por si cupiera la duda del prejuicio, dicen que los trabajos de Straus son falsa ciencia, con hallazgos y conclusiones que son contradictorios, inconsistentes y gratuitos.

Straus presenta un conjunto de preguntas que no discriminan entre intento y efecto. Iguala a una mujer que empuja a su pareja en defensa propia al hombre que la tira por las escaleras. Etiqueta a una madre de violenta si defiende a su hija del acoso sexual del padre. Combina categorías como «pegar» e «intentar pegar» a pesar de la importante diferencia entre ellas. Como sólo estudia un año de convivencia, iguala una simple bofetada de la mujer al hombre, con quince años de terrorismo doméstico. Incluso la misma Steinmetz dice que el CTS ignora la diferencia entre una bofetada dolorosa y un puñetazo que causa una lesión permanente.

Straus sólo entrevistaba a uno de los componentes de la pareja. Otros estudios que entrevistaron independientemente a los dos componentes encontraron que sus relatos sobre la violencia no concordaban.

Excluyó incidentes de violencia que ocurrieron después de la separación y el divorcio; aunque en ellos se contabilizaron un 75.9 % de agresiones, siendo el 93.3 % de las veces el agresor el hombre según el Departamento de Justicia de Estados Unidos.

El estudio de Straus se basó en lo que decían los participantes, sin tener en cuenta que está demostrado que los hombres que maltratan niegan o minimizan su maltrato en un 50 %.

> Los hombres que aterrorizan sistemáticamente a sus esposas difícilmente van a estar de acuerdo en participar en un estudio como éste, y las mujeres a las que pegan probablemente sentirían pánico ante la posibilidad de que su marido se enterara de que había contestado a esas preguntas.[19]

Finalmente, el CTS no incluye la agresión sexual como una categoría, aunque hay muchas más mujeres violadas por sus maridos que sólo pegadas. Ajustando las estadísticas de Straus y corrigiendo estos fallos sale una proporción de 16 a 1 para la violencia del hombre a la mujer. Según la policía y los tribunales, del 90 al 95 % de las agresiones son hechas por los hombres a sus parejas.

Straus dijo que las mujeres denunciaban más el maltrato, por lo que la muestra podía estar sesgada. Pero el análisis de Schwartz[20] demostró que los hombres maltratados por sus mujeres realmente denuncian con más frecuencia que las mujeres maltratadas por sus maridos.

En cualquier caso, todas las encuestas de victimización criminal que hacen uso de muestras aleatorias están libres de sesgos y dan resultados similares en Estados Unidos, Canadá y Gran Bretaña.

## CÓMO PARAR LA VIOLENCIA CONTRA LOS HOMBRES

- El 87 % de los hombres asesinados en estados Unidos lo son por otros hombres.
- Los hombres matan a hombres (y mujeres y niños) en Irak, Bosnia, El Salvador, Rwanda...
- Los hombres que se preocupan por los hombres maltratados deberían apuntar a los verdaderos enemigos: nosotros mismos.

Por supuesto, los pocos hombres (4 %) auténticamente maltratados por sus mujeres son dignos de compasión, pero es mucho más lógico y sensato focalizar nuestra atención y trabajo en el vasto problema de la violencia masculina (96 % de la violencia doméstica).

Es obvio que los estudios sobre violencia doméstica producen diferentes resultados según el método utilizado y parece que pretendidos científicos eligen el método en consonancia con su ideología. Hay investigadores que se fijan sólo en los actos concretos de violencia, ignorando su contexto, sus antecedentes, su contexto social, político y económico, y especialmente el hecho de que los hombres suelen tener más poder que las mujeres tanto en ámbitos públicos como privados. Si la investigación no tiene en cuenta estos factores se hace daño a la ciencia, a la sociedad y a los derechos humanos de las víctimas de la violencia, enmascarando el problema y promocionando la ideología patriarcal.

**Cuando las mujeres agreden.** Aunque hombres y mujeres pueden pegarse unos a otros, las mujeres inevitablemente sufren unas consecuencias físicas mayores. Además, las mujeres maltratadas sufren más consecuencias emocionales y psicológicas que los hombres.

¿Cuáles son las diferencias entre el maltrato masculino y el femenino?

Según Dale Bagshaw y Donna Chung, de la Universidad South Australia,[21] las formas en las que las víctimas masculinas experimentan la violencia doméstica difieren de cómo la experimentan las mujeres. Los hombres...

- Relatan que no vivían en un continuo estado de terror de la agresora.
- No tenían experiencias previas de malos tratos.
- Raramente experimentaron violencia después de la separación (en el único caso del estudio en que se relató, fue mucho menos severa que en la violencia ejercida por los varones contra las mujeres).
- No se sentían intimidados o temerosos, sino más bien coléricos ante la violencia de ella.

Aunque hay evidencias de que ambos, hombre y mujer, se comportan a veces violentamente en sus relaciones, la naturaleza y las consecuencias de la violencia de la mujer no son equivalentes en absoluto a las del hombre:

**1.** La violencia del hombre es más severa.

2. Es más probable que las mujeres sean asesinadas por su pareja actual o anterior, que por otra persona.

3. La mayoría de homicidios de hombres son realizados por otros hombres, en lugares públicos y casi siempre con la excusa del alcohol.

4. Las principales razones por las que el hombre mata a su pareja mujer son porque ella lo deja y por celos. Sin embargo, las mujeres que matan a sus parejas tienen una historia previa de violencia doméstica con ellas, en más del 70 % de los casos. La mitad de los asesinatos al marido ocurre como reacción a una amenaza inmediata de ataque por parte de él.

5. La violencia psicológica del hombre hacia la mujer consiste en control, humillación y dominación, por medio del miedo y la intimidación.

6. La violencia psicológica de la mujer hacia el hombre consiste en una expresión de la frustración en respuesta a su dependencia, estré,s o rechazo a aceptar una posición sumisa de menos poder.

7. Análisis de los datos sobre homicidios sugieren que las mujeres usan la violencia principalmente como defensa propia, y en segundo lugar como represalia después de años de brutal victimización. Además, es seis veces más probable que las mujeres sean lesionadas a que lo sean los hombres.[22]

**Cuando las mujeres matan.** El Clemency Project[23] de Illinois es un proyecto para la liberación de prisión de mujeres maltratadas que han matado o lesionado a sus compañeros maltratadores. En su página web, entre otras muchas cosas, presentan algunos datos sobre mujeres que han matado a sus compañeros maltratadores y hacen un acertado análisis de las diferentes defensas posibles de una mujer maltratada cuando mata a su compañero.

## DATOS SOBRE LAS MUJERES QUE MATAN A SUS MALTRATADORES

▨ **El 90 % de las mujeres** que están en prisión por matar a un hombre habían sido maltratadas por ese hombre.

▨ **La condena media** (en Michigan) para un hombre que mata a su compañera es de 2 a 6 años. La condena media para una mujer que mata a su compañero es de 15 a 17 años.

▨ **Los fiscales** y jueces mostraban su desconocimiento de la violencia de género, cuando repetidamente recriminaban a la mujer maltratada por no dejar a su compañero. Una mujer maltratada que consigue finalmente dejar la relación, antes suele haber hecho de cinco a siete intentos de irse, solamente irse; nunca es tan fácil para estas mujeres como sugiere el fiscal. El vínculo traumático puede no ser la única razón para que la mujer se resista a dejar al maltratador. Ella puede tener la convicción, totalmente razonable, de que si lo deja la lesionará o matará.

▨ **Según** Sir William Blackstone, cuando un marido mata a su mujer es comparable a matar a un extraño; pero cuando ella lo mata a él es comparable a traición por matar al rey.

## TEORÍAS DE LA DEFENSA: EXCUSA *VERSUS* JUSTIFICACIÓN

▨ **Excusar** a la mujer significa admitir que la ofensa que ella cometió fue un crimen, pero que hay factores peculiares a su situación que le restan responsabilidad criminal, como locura o capacidad disminuida.

▨ **Defender** a la mujer significa mostrar que su acción no fue un crimen en absoluto, sino que estuvo justificado por las circunstancias con el fin de evitar un daño mayor.

Una mujer maltratada actuando en defensa propia está actuando conforme a una percepción racional de peligro real.

Angela Browne, autora de *Asalto y homicidio en el hogar: cuando una mujer maltratada mata*, explica que no hay inconsistencia entre la indefensión aprendida y la mujer maltratada que mata. Ésta abandona los mecanismos de defensa del Síndrome de Estocolmo cuando piensa que es imposible sobrevivir al próximo episodio de la escalada ascendente de maltrato, o que el maltratador va a ensañarse en los niños. A pesar de la dependencia del compañero, a veces prevalece el deseo de vivir ella y sus hijos, y actúa en defensa propia. La indefensión aprendida no es una disminución mental, ni un tipo de locura; es un recurso de supervivencia cuando no se puede escapar de la violencia.

Existe el mito de que muchas mujeres maltratadas matan a sus maltratadores cuando ellos están dormidos. En realidad, el 70 % de las mujeres maltratadas que matan a sus maltratadores lo hacen durante una confrontación con él. Se puede, por tanto, considerar defensa propia.

Si se da el caso de que él está durmiendo, alguien podría pensar que la amenaza no es inminente.

Según la ley, a la mujer no se le permite defenderse con un arma hasta que el maltratador la pegue lo bastante severamente para que quede claro que es inminente la muerte o un daño corporal grave. Llegado ese momento ella ya estará totalmente indefensa. Los principios tradicionales de la defensa propia están hechos por y para hombres, y se supone que los contendientes tienen fuerza y tamaño parecidos. El caso en que él duerme debería considerarse defensa propia que la mujer lo mate si ella actúa bajo la creencia honesta y razonable de que en el momento en que él despierte la matará, y de que si ella espera estará mucho menos capacitada para defenderse.

Gestos sutiles que pueden no significar una amenaza para un extraño, pueden ser reconocidos por la mujer maltratada como un signo de que está en un peligro grave e inmediato. Los maltratadores llevan a veces objetos que no son considerados como armas letales (puños, llaves, libros, botellas, comida caliente, etc.), pero que la investigación y el sentido común dicen que pueden ser amenazantes, y mucho más si la persona que lo esgrime es alta y fuerte.

---

[1] BELKNAP, Joanne; GRAHAM, Dee L. R.; HARTMAN, Jennifer ; LIPPEN, Victoria M. A.; GAIL ALLEN, P.; SUTHERLAND, Jennifer M. A. «Factors related to domestic violence court dispositions in a large urban area: The role of victim/witness reluctance and other variables», Departamento de Justicia de EE UU.

[2] ALBERDI, Inés; MATAS, Natalia. «La violencia doméstica: informe sobre los malos tratos a mujeres en España». Colección Estudios Sociales, Núm.10, «La Caixa».

[3] BELKNAP, Joanne; GRAHAM, Dee L. R.; HARTMAN, Jennifer ; LIPPEN, Victoria M. A.; GAIL ALLEN, P.; SUTHERLAND, Jennifer M. A. «Factors related to domestic violence court dispositions in a large urban area: The role of victim/witness reluctance and other variables», Departamento de Justicia de EE UU.

[4] OCHBERG. «Victims of terrorism». *Journal of clinical Psychiatry*, 41, 73-74, 1980.

[5] NiCARTHY, G. «Getting free: a handbook for women in abusive relationships». New York: Seal Press, 117-118, 1986.

[6] SYMONDS. «Victims of violence: Psychological effects and after-effects». American Journal of Psychoanalysis, 35, 19-26, 1975.

[7] WALKER, L. «The battered woman». New York: Harper & Row, 1979.

[8] MEERLOO. «The rape of the mind». New York: Grosset & Dunlop, 1961; FOLLINGSTAD, Diane R.; NECKERMAN, Ann P. ; VORMBROCK, Julia. *Reactions to victimitation and coping strategies of battered womwn: the ties that bind.* Clinical Psychology Review, Vol. 8, pp. 373-390, Pergamon Press, 1988.

[9] GRAHAM, Dee L.R.; RAWLINGS Edna; RIMINI Nelly. «The Stockholm Syndrome: Not just for hostages».

[10] GRAHAM, D.; PH. D & RAWLINGS, E.; BARRIE, Levy. «Bonding with abusive dating partners: dynamics of Stockholm Syndrome». Seal Press. Seattle, Wa. 1991.

[11] GRAHAM, D. L. R. con RAWLINGS, E. I. y RIGSBY, R. K. *Loving to survive. Sexual terror, men's violence and women's lives.* NYU Press.

[12] FLYNN, E. E., 1990.

[13] TURNER, 1990.

[14] WORTMAN, 1976.

[15] GLASS, REIM y SINGER, 1971.

[16] WALSTER y BERSCHEID, 1971.

[17] GRAHAM y RAWLINGS, 1991.

[18] STRAUS, GELLES y STEINMETZ, «Conflict tactics subscales» (CTS2), 1980.

[19] JOHNSON, M. «Patriarchal terrorism and common couple violence: two forms of violence against women». *Journal of marriage and the family* 57, 289. Mayo de 1995.

[20] SCHWARTZ, U.S. «National crime surveys». 1973-1982.

[21] BAGSHAW, Dale y CHUNG, Donna. *Women, men and domestic violence. Partnerships against domestic violence.* Universidad South Australia, 2000.

[22] BROWNE, A. *When battered women kill.* New York: Free Press, 1987.

BROWNE, A; WILLIAMS, K. R. «Exploring the effect of resource availability and the likelihood of female-perpetrated homicides». *Law & Society Review*, 1989; 23:75-94.

JURIK, N. C. *Women who kill and the reasonable man: the legal issues surrounding female-perpetrated homicide.* Society of Criminology, Reno, NV. 1989.

JURIK, N. C.; GREGWARE, P. A *method for murder: an interactionist analysis of homicides by women.*

TEMPE, A. Z. *School of Justice studies*, Arizona State University, 1989.

[23] (http://www.umich.edu/~clemency/).

# QUINTA PARTE

# Violencia de género

# ¿Los hombres amenazan la supervivencia de las mujeres?

Has pasado por unas etapas de recuperación en las que te has ido sintiendo cada vez más segura, te has repuesto psicológicamente y has empezado a ejercer tu liderazgo como madre. Puede que estés atravesando todavía un largo y complejo proceso jurídico civil o penal. Has superado muchos obstáculos y has sobrevivido al maltrato; sin embargo, no acaba ahí tu itinerario. Has conseguido salir de un laberinto personal y familiar de violencia doméstica y empiezas a mirar la vida con otros ojos; es entonces cuando descubres que tu problema no era sólo tuyo, sino de millones de mujeres.

Miras al mundo y ves un laberinto mucho más grande: la violencia de género, que afecta a las mujeres de todos los países y culturas, y que se manifiesta de múltiples formas.

En este capítulo veremos:

- Evolución de las políticas de género
- Informe sobre el desarrollo humano en género
- ¿Qué es la «violencia de género»?

## Evolución de las políticas de género

En nuestra civilización se ha avanzado bastante a nivel tecnológico y científico, pero poco en valores humanos. La violencia contra la mujer es un problema de derechos humanos básicos, y en ese sentido el mundo está todavía cerca de la Prehistoria.

Actualmente se está dando un giro fundamental a este problema nuclear de toda sociedad. Hombre y mujer, los componentes de la pareja humana, se empiezan a reconocer legalmente como iguales en derechos. El cambio lo ha iniciado la misma mujer y a regañadientes le están empezando a seguir algunos hombres; es un cambio de conciencia a nivel global que se extiende como una mancha de aceite. No se corresponde aún con un verdadero cambio de actitudes, pero una transición histórica de tal calibre lleva varias generaciones. Se trata de una *evolución* y no de una *revolución*; no es que ahora la mujer vaya a tomar el papel del hombre, sino que ambos van a pasar a un grado superior de desarrollo evolutivo. El nuevo modelo no es el masculino (en realidad aún no sabemos en qué consiste el nuevo modelo), pero si no lo descubrimos nos jugamos la supervivencia como especie.

El reto de la violencia, en especial la violencia entre hombre y mujer, es el reto de nuestra civilización, más que llegar a Marte o curar el cáncer. Curando esta pandemia histórica entraremos en la categoría de *verdaderamente humanos* y dejaremos atrás al primitivo *Homo Sapiens Sapiens*, que tiene más de «Homo» que de «Sapiens».

En muchos países las leyes han cambiado, y en algunos hay asistencia para las víctimas, pero en todos persisten todavía de forma endémica discriminaciones contra la mujer como violencia doméstica, agresiones sexuales o ausencia de presencia en los cargos de poder político y económico.

Los países, igual que las personas, atraviesan en su evolución distintas etapas de toma de conciencia en cuanto a los planteamientos políticos sobre la violencia de género:

**Países que fomentan la violencia de género.** En estos países la violencia contra la mujer está permitida e incluso fomentada por las leyes. Éstas se inhiben frente a las manifestaciones «culturales» o «religiosas» sexistas, que no consideran un delito, sino la pauta tradicional a seguir: lapidación, burka, ablación del clítoris, negación a la mujer del acceso a los recursos sanitarios y a la alfabetización, maltrato conyugal permitido mediante eufemismos como «corrección física a la esposa», etc. Lo único que se cuestiona es el grado de violencia que se considera aceptable.

En 1890 en España, en las violaciones se responsabilizaba a la propia víctima por realizar actos que provocaban el movimiento pasional del hombre (sentencia del Tribunal Supremo).

Hasta el año 1975 sólo se consideraba como indeseable la extrema brutalidad contra la mujer y se admitía que el esposo «corrigiera» a su cónyuge, eufemismo que encubría los malos tratos del marido.

Informe del Defensor del Pueblo, Revista *Mujeres y salud*

Suelen ser las mismas mujeres, en asociaciones y ONG, las que inician generalmente de forma clandestina la atención a las víctimas y la lucha por sus derechos. La mayoría de las ONG que funcionan en campos como la salud reproductiva, refugiadas e inmigrantes, incluyen la erradicación de la violencia contra la mujer entre sus objetivos.

## Países que niegan el problema

- En ellos se dan cambios legislativos de primer nivel: desaparecen las leyes que recomiendan o justifican el maltrato a la mujer, pero éste no tiene entidad suficiente como para tener una ley propia.
- No se contabilizan las mujeres muertas por violencia doméstica.
- La administración no ofrece asistencia a las víctimas.
- En el discurso político y en los medios de comunicación no existe el problema.

## Países que reconocen el problema y «apagan fuegos»

- Se dan cambios legislativos de segundo nivel: hay leyes específicas para los malos tratos físicos. Desde 1989, el derecho penal español sanciona de forma expresa las conductas de maltrato en el ámbito doméstico.

- Se habla del tema en los medios de comunicación. Los políticos hacen declaraciones de principios que no van acompañadas de presupuestos adecuados a la gravedad del problema.

- Se dan las primeras iniciativas municipales y regionales de asistencia a las víctimas.

- Aparecen estadísticas sobre las desigualdades discriminatorias entre hombre y mujer.

- Aumentan las denuncias por malos tratos; no porque haya aumentado el número de mujeres maltratadas, sino porque las mujeres se han informado de sus derechos y de los pretendidos recursos sociales existentes y no aguantan tanto.

- Las asociaciones y ONG de asistencia a las víctimas son subvencionadas por la administración, paliando con voluntariado las carencias asistenciales del Estado.

- Es una fase reactiva porque se «apagan fuegos», es decir, se va asistiendo a las mujeres maltratadas a medida que éstas lo demandan, pero todavía los médicos no detectan a la víctima silenciosa y las sentencias son muy permisivas con el maltrato.

- No existe legislación específica para el maltrato psicológico.

---

«De igual forma que los malos tratos físicos entre familiares o personas que conviven entre sí se tipifican expresamente de forma independiente, los malos tratos psíquicos no han sido considerados por el legislador con la entidad suficiente como para ser tipificados de forma autónoma».

Informe del Defensor del Pueblo, Revista *Mujeres y salud*

---

## Proactividad

- Se dan cambios legislativos de tercer nivel: ley integral, ley para la violencia psicológica o tortura doméstica, ley de obligatoriedad de formación para profesionales (carreras sanitarias y jurídicas).
- Hay políticas de género correctas con los presupuestos adecuados.
- Se hace prevención de la violencia en las escuelas. Se incluye la formación en las carreras universitarias.
- Las mujeres empiezan a ser protagonistas y acceden de forma más igualitaria al poder.
- Es una fase proactiva porque se pone el énfasis en la prevención: detectando a las víctimas antes de que vuelvan a ser agredidas, mejorando la asistencia a mujeres e hijos, formando profesionales y, sobre todo, enseñando a los niños a convivir sin violencia ni discriminación.

# Informe sobre el desarrollo humano en el género

El «Informe sobre desarrollo humano» analiza el desarrollo humano país por país, utilizando una gama de indicadores económicos y sociales. Desde que se publicó el primer informe en 1990 se han creado dos índices relativos al género: el índice de desarrollo relativo al género (IDG) y el índice de potenciación de género (IPG). Se puede consultar todo lo referente a estos índices en la página web: http://hdr.undp.org/reports/global/2003/espanol/index.html.

**Índice de desarrollo humano.** El IDH mide el progreso general de un país en tres dimensiones básicas del desarrollo humano: la longevidad, los conocimientos y un nivel de vida decoroso. Se mide a partir de la esperanza de vida, el nivel educacional (la alfabetización de adultos y la matriculación combinada en las enseñanzas primaria, secundaria y terciaria) y el ingreso per cápita ajustado por la paridad del poder adquisitivo en dólares de Estados Unidos.

**Índice de desarrollo relativo al género (IDG).** Como el IDH evalúa solamente el progreso medio, oculta las diferencias de género en el desarrollo humano. Para poner de relieve esas diferencias, el índice de desarrollo relativo al género (IDG), introducido en 1995, ajusta el IDH para determinar las desigualdades en el progreso del hombre y la mujer. En el 2001 se estimó el IDG de 146 países. En todos los países el IDG es inferior al IDH, lo que indica la presencia de desigualdades de género en todas partes.

**Índice de potenciación de género (IPG).** El índice de potenciación de género (IPG), introducido también en 1995, ayuda a evaluar la desigualdad de género en las oportunidades económicas y políticas. Mide la desigualdad de género en esferas fundamentales de la participación y la adopción de decisiones económicas y políticas. Registra los porcentajes de mujeres en el parlamento, entre los legisladores, los funcionarios superiores y administradores, los profesionales y los trabajadores técnicos, así como la disparidad de género en el ingreso percibido. A diferencia del IDG, pone de manifiesto la desigualdad de oportunidades en esferas seleccionadas. En el 2001 se estimó el IPG de 64 países.

En el 2001, algunos países en desarrollo obtuvieron mejores resultados que algunos países industrializados mucho más ricos. Bahamas y Trinidad-Tobago marchan por delante de Italia y Japón. Barbados tiene un IPG 30 % superior al de Grecia. De aquí se deduce que tener un ingreso alto no implica más oportunidades para la mujer.

| Año 2001 | IDG | IPG |
|---|---|---|
| **1.** Noruega | 1 | 1 |
| **2.** Australia | 2 | 9 |
| **3.** Canada | 3 | 5 |
| **4.** Suecia | 5 | 3 |
| **5.** Bélgica | 7 | 14 |
| **6.** Estados Unidos | 4 | 10 |
| ... | | |
| **21.** España | 21 | 15 |

**Países nórdicos.** Ningún país ofrece a las mujeres las mismas oportunidades que a los hombres, pero el que más se acerca es Noruega.

Los países nórdicos Noruega, Islandia, Suecia y Finlandia están en la cúspide de la Potenciación de Género IPG. Los autores del informe dicen: «Esto no es nada sorprendente: esos países han adoptado como políticas nacionales deliberadas la igualdad en la condición de los sexos y la potenciación de la mujer». Los países nórdicos han superado el crítico umbral mínimo del 30 % (masa crítica) para la participación femenina en la adopción de decisiones políticas y económicas.

En el año 1994, Suecia marcó un hito al convertirse en el primer país en la Historia que posee una representación femenina del 50 % entre los ministros de su gabinete.

Sólo en Dinamarca, Finlandia, Noruega y Suecia se ha registrado un progreso simultáneo en:

- La tasa de matriculación de las niñas en la enseñanza secundaria: 95 %.
- El porcentaje de mujeres en el empleo remunerado, la industria y los servicios: 50 %.
- La proporción de escaños que ocupan las mujeres en el parlamento: al menos un 30 %.

El premio Nobel Amartya Sen reconoce haber sufrido oposición de la izquierda y de los fundamentalistas religiosos cuando denunció la violencia de género:

«Cuando empecé a escribir sobre mujeres me llegó oposición de todas partes. A mí me parecía que las desigualdades eran evidentes en muchos aspectos. A medida que fui estudiando los patrones en el hambre, la escolarización y la asignación de recursos en la familia, las desigualdades me parecían tan patentes que me sorprendía que la gente no hablara de ello.

»Había resistencia de la izquierda, que pensaba que cualquier dilución del planteamiento de clases sería un error, que tendría el efecto de debilitar la guerra de clases. Creo que éste era un análisis muy superficial: las clases son un gran divisor, pero no el único. Y, por encima de esto, cuando tienes varios divisores, cuando hay una acumulación de desventajas (mujeres de familias de clase baja, posiblemente de castas bajas y de una región deprimida) obtienes una situación terrible. Muy a menudo la oposición de izquierdas no hace justicia a la posición del ala izquierda, que es comprender todas las causas raíces de deprivación más que concentrarse en una.

»Había también resistencia por parte de aquellos con un punto de vista muy anti-occidental, y que pensaban que yo estaba intentando venderles una especie de proposición pro-occidental. Cuando señalé lo terriblemente deprivada que estaba la mujer hindú, uno de mis colegas me dijo que muchos estudios antropológicos indicaban que si se les preguntaba a las hindúes rurales por su deprivación, ellas contestaban que no lo estaban. Pero estas mujeres no entendieron la pregunta y contestaron sobre el bienestar familiar, más que sobre su propio bienestar individual.

»La idea de la mujer sacrificada ha sido tan alabada, idealizada e idolatrada que, a base de deprivación, se ha creado un heroísmo que no sirve en absoluto a los intereses de la mujer. Creo que este autosacrificio sobrevive sólo por lo que Marx habría llamado 'falsa conciencia' por parte de la mujer, es decir, la creencia de que sus intereses están detrás de los de la familia, lo cual es falso. Precisamente en este contexto, ser más 'egoísta' hace al mundo mejor. Yo llamaría a este tipo de oposición 'nativista', que es la que considera que las culturas tradicionales son básicamente correctas y que no se las debe criticar.

»Llevará algún tiempo superar todas estas oposiciones, y me alegra decir que la expansion de los movimientos feministas a lo largo de todo el mundo ha ayudado mucho a ello».

Amartya Sen, 15 de diciembre de 1999

# ¿Qué es la «violencia de género»?

En 1995 se empezó a usar en los medios de comunicación el término «género». La Cuarta Conferencia Mundial de la Mujer organizada por Naciones Unidas y celebrada en Beijing, China, convocó ese año a todos los gobiernos del planeta para debatir y pronunciarse sobre el tema de la violencia contra la mujer.

«La palabra 'género' se refiere a los atributos y oportunidades asociados con ser hombre y mujer, y a las relaciones socioculturales entre hombres y mujeres. Vienen generados y son específicos de la cultura de cada sociedad. Se aprenden a través de procesos de socialización y pueden cambiar. Las diferencias entre mujeres y hombres son culturales, no biológicas».

El concepto de género difiere del de sexo en que éste tiene origen biológico, mientras que el primero es de origen económico, social y cultural. El género es un concepto propio de cada cultura, se basa en las expectativas que la sociedad tiene sobre un individuo en razón de su sexo. Los roles masculinos y femeninos varían mucho según la cultura.

---

«Según estudios antropológicos, un hombre de la cultura arapesch tiene un comportamiento tan maternal y dulce como el que se espera de las mujeres occidentales, y una mujer de la cultura mundugudur es tan asertiva, fuerte y agresiva como se espera que sea un hombre mediterráneo. En algunas culturas es el hombre quien se adorna y seduce a la mujer, con actitudes que en nuestro medio serían calificadas de equívocas».

«Argumentos para el cambio», Centro de Estudios de la Mujer, Chile.

---

También influye en el concepto de género el momento histórico. A medida que la sociedad mejora en el respeto a los derechos humanos, cambia su concepto de lo que es normal y aceptable en el trato del hombre hacia la mujer:

«En el siglo XIX, antes de la reforma de la ley del matrimonio y la propiedad, las mujeres eran consideradas como una propiedad; eran compradas y vendidas en matrimonio. No podían votar, ni firmar contratos. Una vez casadas no podían tener propiedades. No tenían derechos sobre sus hijos ni control sobre sus cuerpos». («Family violence professional education taskforce», 1991, p.1)

En el Reino Unido un marido podía violar a su mujer y golpearla sin miedo de consecuencias legales. Podía hacerlo con una vara siempre que ésta no fuera más ancha que su pulgar (Ley del Pulgar).

La mujer no consiguió en Suiza el derecho al voto hasta 1971.

**Violencia de género es la poca colaboración de los varones en las tareas del hogar.** Según el informe «Mujeres en cifras 1996-2000», elaborado por el Ministerio de Trabajo y Asuntos Sociales de España: «Mientras la mujer dedicó en el año 2001 casi cuatro horas diarias a las tareas domésticas (en concreto, 3 horas y 58 minutos), el hombre apenas sí había invertido en estos menesteres tres cuartos de hora (44 minutos), cinco veces menos que las féminas». Esta situación es uno de los motivos por los que la mujer no suele aspirar a cargos de responsabilidad en el trabajo: éstos pueden exigirle una dedicación extra en su tiempo libre y ella sabe que al acabar la jornada laboral empieza su jornada como ama de casa.

## Micromachismos

Algunos «micromachismos» son conscientes y otros se realizan con la «perfecta inocencia» de lo inconsciente. Con estas maniobras no sólo se intenta instalar en una situación favorable de poder, sino que se busca la reafirmacion de la identidad masculina, asentada fuertemente en la creencia de superioridad. Finalmente, mantener bajo dominio a la mujer permite también (y éste es un objetivo que se debe trabajar cuando se intenta desactivar estas maniobras) mantener controlados diversos sentimientos que la mujer provoca, tales como temor, envidia, agresión o dependencia.

Puntualmente, estas maniobras pueden no parecer muy dañinas, incluso pueden resultar naturales en las interacciones, pero su poder, devastador a veces, se ejerce por la reiteración a través del tiempo y puede detectarse por la acumulación de poderes de los varones de la familia a lo largo de los años. Un poder importante en este sentido es el de disponer de tiempo libre a costa de la sobreutilización del tiempo de la mujer.

*La violencia invisible en la pareja*
Dr. Luis Bonino Méndez
Director del Centro de Estudios de la Condicion Masculina de Madrid

**Violencia de género es el poco protagonismo femenino en los medios audiovisuales.** En los debates, mesas redondas y coloquios televisivos o radiofónicos de «temas importantes» apenas hay mujeres. No hay directoras de periódico y los artículos de opinión sobre la actualidad política o económica casi nunca cuentan con firmas femeninas.

Según un informe realizado en junio del 2001 por el Instituto Oficial de Radio Televisión Española en colaboración con el Instituto de la Mujer, sobre 911 noticias de televisión (TVE-1, La 2, Tele 5 y Antena 3) y 885 de radio (RNE, SER, Onda Cero y COPE):

▨ **La presencia de la mujer** en telediarios sólo iguala a la del hombre en los datos negativos. Pese a constituir la mayoría de la población, sólo el 15 % del tiempo de los informativos de radio y el 18% de los de televisión tienen como protagonistas a mujeres. Aunque las mujeres ocupan el 30,5 % de los puestos de la administración autonómica y el 16,4 % de los cargos de la administración estatal, sólo son de sexo femenino el 3,5 % de los políticos citados en los informativos radiofónicos y el 2,2 % en los televisivos.

**En igualdad de condiciones** el hombre es noticia y la mujer no. Veamos como ejemplo el caso de Joanne Somarriba, brillante vencedora del Tour de Francia, que se convirtió en el 2000 en la segunda ciclista de la Historia capaz de conseguir el doblete, Giro y Tour, en la misma temporada. El evento pasó casi desapercibido en los medios de comunicación, cuando en el caso de Indurain, ciclista varón que logró lo mismo, los medios de comunicación se hicieron eco del triunfo durante mucho tiempo y con alarde de información. Por otra parte, una ciclista profesional como Joanne, la número uno mundial, gana unos siete millones de pesetas al año, mientras que muchos de sus colegas masculinos rebasan los cuarenta.

**En los informativos de televisión** el número de mujeres entrevistadas sólo supera al de hombre (53 % y 47 % respectivamente) cuando se habla de pobreza, vivienda y desempleo, o cuando se trata de la educación (51 % y 49 %). En cuestiones de medio ambiente, sólo el 7 % de los entrevistados en televisión son mujeres; en cultura y entretenimiento, el 29 %; en ciencia, el 17 %, y en deportes, el 2 %. Los porcentajes obtenidos «son parecidos» a los de informes similares realizados en países como Canadá y los del norte de Europa.

**Violencia de género es la dificultad extra de la mujer para acceder a los puestos de poder.** Las mujeres están muy poco representadas en los gobiernos y en los partidos políticos del mundo.

## Porcentaje de **mujeres maltratadas**

Países nórdicos . . . . . . . . . . . . . . . . . . . . . . . . . . . . . . . . . . . . 38,9 %

América . . . . . . . . . . . . . . . . . . . . . . . . . . . . . . . . . . . . . . . . . . 15,7 %

Asia . . . . . . . . . . . . . . . . . . . . . . . . . . . . . . . . . . . . . . . . . . . . . 14,8 %

Europa - OSCE países miembros no incluyendo los p. nórdicos . . . . . . . 14,7 %

África Subsahariana . . . . . . . . . . . . . . . . . . . . . . . . . . . . . . . . 12,8 %

Pacífico . . . . . . . . . . . . . . . . . . . . . . . . . . . . . . . . . . . . . . . . . . 11,3 %

Estados árabes . . . . . . . . . . . . . . . . . . . . . . . . . . . . . . . . . . . . 4,6 %

Compilado por Inter-Parliamentary Union, 1 de marzo de 2002.

### ¿POR QUÉ ES TAN DIFÍCIL PARA LAS MUJERES ESTAR EN POLÍTICA?

«Imagínense una pista de un estadio deportivo. Un hombre y una mujer están en el lugar de partida y se preparan para iniciar una carrera que significa dar la vuelta al estadio. Ambos están bien equipados, tienen una edad similar y parecen igualmente fuertes. La pista de él está despejada; en la de ella hay obstáculos que debe saltar cada cierto trecho si quiere llegar a la meta. Esa es la imagen gráfica de la realidad que enfrentan las mujeres cuando inician una «carrera», esta vez política. Los obstáculos que deben superar son de diversa índole».

«Argumentos para el cambio»,
Centro de Estudios de la Mujer, Chile.

La investigadora noruega Drude Dalherup explica la baja tasa de ascenso y la alta tasa de deserción de las mujeres políticas. Según ella, en una organización con mayoría masculina las mujeres están expuestas a:

- Alta exposición a la crítica. Cada uno de sus gestos y actitudes son examinados y toda su actividad la expone permanentemente al juicio público.

▨ Se convierten en símbolos de todo su sexo. Las mujeres en cargos públicos suelen ser consideradas como representantes de todas las mujeres y, por tanto, cuando cometen un error se entiende que son «las mujeres» quienes no sirven.

▨ Carencia de aliados en sus organizaciones políticas, mayoritariamente masculinas.

▨ Falta de conocimiento sobre la estructura informal del poder.

▨ Exclusión de la red informal. La mayor parte de las decisiones, negociaciones y acuerdos se toman entre los hombres, cuyos lazos informales se basan precisamente en que son varones y además tienen aficiones compartidas. Un partido de fútbol puede ser un buen momento de encuentro para intercambiar puntos de vista entre políticos, por ejemplo.

▨ Poco respeto y baja escucha y consideración a las actividades y opiniones emitidas por las políticas en sus partidos.

▨ Conflictos entre los distintos papeles que debe cumplir como mujer y como política.

**Violencia de género es la exigencia de cualidades extra a las mujeres en el ejercicio de su profesión que no se pide a los varones.** Según un trabajo de Basow y Silberg, Lafayette College (Pennsylvania, 1994), las expectativas y exigencias de los alumnos ante un profesor varón son menores que ante una profesora. Mil estudiantes valoraron a 32 profesores, 16 varones y 16 mujeres. Se utilizaron un cuestionario de 26 preguntas sobre cinco factores (erudición, organización/claridad, interacción con el grupo, interacción con cada alumno, dinamismo/entusiasmo y una puntuación global), y otro cuestionario sobre rasgos de personalidad instrumentales (asertividad y dominancia) y rasgos de personalidad expresivos (calidez y cuidados).

Los profesores varones fueron puntuados igual por alumnos y alumnas. Las profesoras fueron puntuadas más negativamente que los profesores varones por los alumnos varones, especialmente cuando impartían humanidades y ciencias sociales.

Para recibir una buena puntuación los profesores varones sólo tenían que demostrar su competencia y conocimientos; en cambio, las profesoras tenían que satisfacer un doble rol: el mismo de sus compañeros varones y además el adjudicado a las mujeres de ser cálidas y cuidadoras. A un profesor varón no se le exige que se interese por los alumnos, ni que esté disponible cuando éstos lo necesiten; en cambio, a una profesora sí y ello repercute en la puntuación global que los alumnos varones le otorgan. Para recibir puntuaciones parecidas, las profesoras tienen que ofrecer al alumno más que los profesores. Cuando el profesor varón muestra habilidades interpersonales, esto repercute en la puntuación global. No ocurre así si es la profesora quien las posee; entonces no hay un aumento en la puntuación global.

La investigación ha demostrado que los varones tienen actitudes más tradicionales respecto a los roles de género y más prejuicios hacia quienes transgreden dichos roles. En el trabajo de Basow y Silberg se demuestra que los varones especializados en empresa, economía e ingeniería son los que puntúan más bajo a las profesoras por el hecho de ser mujeres.

**Violencia de género es la dificultad extra de la mujer para acceder a los bienes económicos y al mercado laboral.** En la Plataforma de Acción adoptada en la Cuarta Conferencia Mundial sobre la Mujer realizada en Beijing, China en 1995, una de las esferas de preocupación fue la «persistente y creciente carga de la pobreza que afecta a la mujer», (Beijing, 1995.)

*De cada siete personas que viven en situación de pobreza en el mundo, cuatro son mujeres.*

«Es importante reconocer que la feminización de la pobreza no se expresa sólo a través de la mayor representación de mujeres entre las personas pobres, sino también a través de las características que asume la pobreza de las mujeres, el período en que permanecen en esta situación, las dificultades que enfrentan para superarla y los efectos sobre su calidad de vida y la del resto del grupo familiar». (Marenco y otras; 1998).

Según Naciones Unidas (Informe PNUD 1995): «Las mujeres en los países en desarrollo realizan un 53 % de todas las actividades económicas, y de esas actividades un 66 % no se registran en el Sistema de Cuentas Nacionales. En todo el mundo, las mujeres ganan como promedio un poco más del 50 % de lo que ganan los hombres».

En España (año 2000), pese a que más de la mitad de la población es mujer (51 %) y a que ésta está mejor preparada a nivel académico y de formación, la tasa de paro es 10,20 puntos superior a la del hombre.

**Violencia de género es la falta de credibilidad de la mujer en el sistema jurídico.** La Federación de Mujeres Progresistas (5/8/2001) acaba de publicar el segundo informe anual sobre sentencias rebajadas a maltratadores y violadores. En los últimos doce meses, la asociación ha constatado 76 veredictos en los que el juez absolvió al autor del delito, redujo su pena o la conmutó por un cursillo sobre la dignidad de la mujer. Según la presidenta de la asociación de mujeres juristas Themis, María Durán, el problema radica en que el testimonio de una mujer siempre es cuestionado: «Una mujer tiene que probar por activa y por pasiva su inocencia, mientras que a un hombre siempre se le cree».

Además de modificar el sistema educativo, Durán propone otra medida para acabar con la cultura «machista»: el equilibrio en el poder, incluido el judicial. «En el Tribunal Constitucional –destaca– sólo hay una mujer desde hace cuatro años, y en el Supremo, ninguna. Hacen falta más datos para explicar por qué el sistema judicial español sigue siendo machista».

En España los motivos principales utilizados para reducir la pena o absolver a los maltratadores en el 2001 fueron:

- «Los hechos no son tan graves».
- «La niña no era virgen».
- «Se arrepintió».
- «Estaba embriagado».
- «No tenía intención de matarla».

Se dice que la Justicia es ciega, pero no hay peor ciego que el que no quiere ver. La Justicia no quiere ver los sesgos sexistas y reaccionarios de las leyes, y de la forma en que éstas son interpretadas y aplicadas. El discurso judicial plantea falsamente los juicios como enfrentamiento entre iguales, sin reconocer la desigualdad entre hombres y mujeres provocada por el maltrato individual y social previo sobre ellas.

La discriminación más sutil y extendida es la discriminación indirecta, que surge de la interpretación y aplicación de la ley por los administradores de justicia. Las leyes no son iguales para todos; con frecuencia los jueces ignoran los aspectos de género, pretendiendo ser neutros y regulando situaciones desiguales como si no lo fueran.

No se protegen los derechos específicos de las mujeres, emergentes de sus propias necesidades, de los que no disfrutan los hombres porque no los necesitan. La pretendida objetividad de que alardean muchos jueces es la excusa que encubre los prejuicios, la falta de formación en género y la falta de voluntad para acceder a esta formación.

En la Plataforma de Acción de la Conferencia Mundial de la Mujer de Beijing, en 1995 (párrafo 232) se establece que para garantizar la igualdad y la no discriminación de la mujer ante la ley y la práctica, los gobiernos deben adoptar medidas para eliminar el sesgo por género en la administración de justicia.

«Sesgo por género» es el conjunto de actitudes y comportamientos de los administradores de justicia, basados en estereotipos sobre la verdadera naturaleza y el papel «adecuado» de las mujeres y los hombres en la sociedad, percepciones culturales del valor o mérito de éstos y falsos conceptos sobre las realidades económico-sociales que enfrentan los dos sexos, lo que ocasiona discriminación contra la mujer, que no siempre involucra una intención deliberada ni consciente. El Derecho es un instrumento que perpetúa las desigualdades y la discriminación contra las mujeres.

Elizabeth Iñiguez, Magistrada del Tribunal Constitucional de Bolivia
en el documento «Incorporación transversal de la perspectiva de género
en el currículo de las escuelas de captación judicial»

**Violencia de género es la dificultad extra de la mujer para acceder a los bienes culturales.** «Más de 840 millones de adultos siguen siendo analfabetos. Los 538 millones de mujeres analfabetas constituyen casi dos tercios de los adultos analfabetos de los países en desarrollo.» (United Nations Development Programme).

**Violencia de género es la violencia doméstica.** El tipo más común de abuso a nivel mundial es la «violencia doméstica» o el maltrato físico, emocional o sexual de las mujeres por parte de sus parejas íntimas. (Heise, 1994).

En la India, en una muestra sistemática de 6.902 hombres casados, de 15 a 65 años de edad, en cinco distritos de Uttar Pradesh, entre el 18 % y el 45 % de los encuestados reconocía haber maltratado físicamente a su esposa. (Narayana, 1996).

En Japón, el porcentaje de mujeres maltratadas asciende al 59 %, seguido por Kenia con el 58 %. («La violencia doméstica contra las mujeres y niñas», presentado por el Instituto Innocenti que UNICEF tiene en Italia).

No se debe pensar que este problema ocurre únicamente en países pobres o en el Tercer Mundo:

## Países industrializados

| | | |
|---|---|---|
| Canadá Statistics Canada (1993) | Muestra nacional representativa de 12.300 mujeres de 18 años en adelante. | 29 % de mujeres alguna vez casadas o en unión consensual informan haber sido agredidas físicamente por un compañero actual o anterior desde los 16 años de edad. |
| Suiza Gillioz et al. (1997) | Muestra aleatoria de 1500 mujeres entre 20 y 60 años que viven con pareja. | 20 % informan haber sido agredidas físicamente por su pareja. |
| Reino Unido Mooney (1995) | Muestra aleatoria de mujeres en el Distrito Islington de Londres. | 25 % de las mujeres habían recibido puñetazos o bofetadas de un compañero actual o anterior en algún momento de su vida. |
| Estados Unidos Straus and Gelles (1986) | Muestra nacional representativa de parejas casadas o en unión consensual. | 28 % de las mujeres notifican al menos un episodio de violencia física de su compañero. |

Al menos una de cada tres mujeres ha sido apaleada, obligada a entablar relaciones sexuales bajo coacción o maltratada, con frecuencia por alguien que la mujer conoce. Cada año, dos millones de niñas corren riesgo de mutilación genital femenina. Cada año, unas 5.000 mujeres y niñas son víctimas de los llamados «asesinatos para restaurar la honra» (Fondo de Población de las Naciones Unidas).

> ■ «Más del 40 % de mujeres que son asesinadas lo son por sus maridos. Sólo el 10 % de los hombres asesinados lo son por sus mujeres».
>
> Dobash y Dobash (1977/78)
>
> ■ «Para las mujeres el cambio de ser solteras a ser casadas aumenta la probabilidad de ser asesinadas, mientras que para los hombres disminuye».
>
> Walter Gove (1973)

Las mujeres y niñas del grupo de edades de 15 a 44 años, en todo el mundo, pierden más años de vida (DHYLs) por la violencia doméstica y las violaciones que por el cáncer de mama y cervical, enfermedades cardíacas, SIDA, paludismo, accidentes de tráfico e incluso guerras. (World Development Report, Banco Mundial, 1993).

## Violencia de género es el genocidio de mujeres

> Femicidios citados en *Loving to survive* (Graham):
>
> ■ «Las estimaciones más ajustadas sugieren que durante trescientos años fueron ejecutadas nueve millones de brujas» (Woods, 1974). «En la Inquisición los acusadores fueron mayoritariamente hombres y las acusadas, mujeres».
>
> (Williams y Williams, 1978)
>
> ■ «Cuatro de cada cinco mujeres asesinadas lo son por hombres».
>
> (MacKinnon, 1987)
>
> ■ «Virtualmente, todos los asesinos de masas son hombres y muchas de sus víctimas son mujeres».
>
> (Levin y Fox, 1985)

Amartya Sen, Premio Nobel de Economía en 1998, en una conferencia dada en abril del 2001 habla de las formas que puede tomar la violencia de género:

«Es importante darse cuenta de la variedad de formas que puede tomar la violencia [traduzco de 'desigualdad'] de género. Las dos formas más elementales son la *'desigual mortalidad'* y la *'desigual natalidad'*. La mortalidad desigual es más aguda en África del Norte y Asia, sobre todo en China y todo el sur de Asia. Se manifiesta como una mortalidad mayor de lo normal en las mujeres, lo que causa un desequilibrio en la población con predominancia de hombres.

»En el área de 'desigual mortalidad', India, así como Pakistán y Bangladesh, están entre los peores países del mundo. En todo el subcontinente asiático, con muy pocas excepciones, las tasas de mortalidad femenina son mucho mayores de lo que se podría esperar. La responsabilidad de esto cae en las extendidas: negligencia, disparidad de atención sanitaria y nutrición para las mujeres y las niñas. El desequilibrio resultante en la proporción entre sexos (el mayor entre los países más poblados está en la India, por encima de China, que es el siguiente) es un buen indicador de desigualdad por género, al que llamo *'mujeres desaparecidas'*. Se estima que en todo el mundo el número de mujeres desaparecidas sólo por el hecho de ser mujeres, está por encima de cien millones.

»El problema de la *desigual natalidad* o selección del sexo del feto se debe a la preferencia que muchas sociedades machistas tienen por los chicos y se ha exacerbado con la llegada de nuevas tecnologías como los ultrasonidos, que permiten distinguir el sexo del feto. Esto es lo que se podría llamar un 'sexismo de alta tecnología'».

## Violencia contra la mujer o violencia de género es...

«Todo acto de violencia basado en el género que tiene como resultado posible o real un daño físico, sexual o psicológico, incluidas las amenazas, la coerción o la privación arbitraria de la libertad, ya sea que ocurra en la vida pública o en la vida privada.

»Abarca la violencia física, sexual y psicológica en la familia, incluidos los golpes, el abuso sexual de las niñas en el hogar, la violencia relacionada con la dote, la violación por el marido, la mutilación genital y otras prácticas tradicionales que atentan contra la mujer; la violencia ejercida por personas distintas del marido y la violencia relacionada con la explotación; la violencia física, sexual y psicológica al nivel de la comunidad en general, incluidas las violaciones, los abusos sexuales, el hostigamiento y la intimidación sexual en el trabajo, en instituciones educacionales y en otros ámbitos, el tráfico de mujeres y la prostitución forzada; y la violencia física, sexual y psicológica perpetrada o tolerada por el Estado, dondequiera que ocurra».

«Declaración sobre la eliminación de la violencia contra la mujer».
Asamblea General de las Naciones Unidas, 1993

Después de todo lo dicho la conclusión evidente es que:
*«Los hombres, como grupo, amenazan la supervivencia de las mujeres».*

# Síndrome de Estocolmo
## social de la mujer

Empiezas a observar que la desigualdad entre géneros no sólo la sufres tú: ves mujeres de diferentes clases sociales, económicas y culturales que también están supeditadas y sometidas a sus maridos, pero lo que más te choca es que ves cómo muchas mujeres independientes, cultas y socialmente triunfadoras parecen desmoronarse emocionalmente si no tienen un hombre al lado, y toda su actitud decidida y autosuficiente en su vida pública se transforma en inseguridad y dependencia amorosa patológica en su vida personal. ¿Qué nos pasa a las mujeres?

En este capítulo veremos:

- ¿Se cumplen a nivel social las condiciones precursoras del Síndrome de Estocolmo de la mujer maltratada?
- ¿En qué consiste el SE social de la mujer?
- Dos tipos de resistencia al patriarcado
- Lo que se suele entender como «psicología femenina» es la psicología del oprimido
- «Grandes hombres» y la mujer

## ¿Se cumplen a nivel social las condiciones precursoras del Síndrome de Estocolmo de la mujer maltratada?

Tal como hemos ido explicando a lo largo del libro, la psicóloga Dee Graham ha investigado sobre la existencia del Síndrome de

Estocolmo a un nivel doméstico; ahora vamos a ver cómo también lo ha hecho a un nivel social.

Puesto que nuestra cultura es patriarcal, ella cree que todas las mujeres lo padecen de una forma u otra y con diferentes intensidades. Se trata de una teoría polémica que explica el comportamiento sumiso y dependiente de la mujer ante el varón, mucho mejor que teorías como el «masoquismo» o la «codependencia». Puede ser probada en la misma medida que cualquier teoría psicológica.

El libro *Loving to survive*[1] de Dee L.R. Graham, con Edna Rawlings y Roberta Rigsby, es ya un clásico. En él se desarrolla ampliamente la teoría de Graham sobre el «Síndrome de Estocolmo de la Mujer Maltratada» (SEMM), una teoría que ha permitido dar un salto de gigante a la comprensión científica de la psicología femenina. Está considerado entre los expertos como uno de los libros más importantes y a la vez más polémicos del siglo XX sobre psicología de la mujer. Es un libro que no deja indiferente a nadie y cuya lectura recomiendo. Obliga a cuestionarse cada parcela de las relaciones hombre-mujer; propone que la psicología femenina actual es realmente una psicología de la mujer en condiciones de cautividad y terror causadas por la violencia del hombre contra ella. Por lo tanto, la respuesta de la mujer al varón se parece a la del rehén frente al secuestrador. Estos nuevos planteamientos sobre la pareja humana desatan las resistencias de muchas mujeres que se engañan a sí mismas diciéndose que en la práctica son iguales a su compañero y que socialmente no sufren ninguna discriminación por ser mujeres.

Espero que también mi libro cree esta controversia; sólo un primer rechazo que deje dentro una inquietud puede llevar a una reflexión más profunda que desenmascare el sometimiento y la falta de igualdad.

En el capítulo 3 de su libro *Loving to survive*, Graham muestra cómo las cuatro condiciones precursoras del SE son evidentes en las relaciones hombre-mujer; no sólo individualmente, sino también a un nivel social. Estas condiciones están tan difundidas en todos los países y han sido tan ampliamente adoptadas por todas las culturas y sociedades, que ahora nos aparecen como si fueran «naturales» y «biológicas».

Propone cuatro preguntas para evaluar cuán proclive es una cultura al desarrollo del SE Social en sus miembros femeninos:

1. ¿Los hombres amenazan la supervivencia de las mujeres?
2. ¿Las mujeres pueden escapar de la dominación de los hombres?
3. ¿Las mujeres están aisladas del exterior y de las perspectivas diferentes de las de los hombres?
4. ¿Los hombres son amables con las mujeres?

La severidad de las cuatro condiciones precursoras del SE en las mujeres de una cultura determina la severidad del SE Social en dicha cultura. Estas mismas preguntas pueden aplicarse a los miembros de cualquier grupo humano subordinado a un grupo dominante (niños y adultos, negros y blancos, homosexuales y heterosexuales, etc.).[2]

Hemos visto en los capítulos anteriores cómo en el mundo actual existe una amenaza real para la supervivencia de las mujeres, y dicha amenaza está originada por el varón. Se cumple por lo tanto a nivel social la primera condición precursora del SE.

Veamos a continuación cómo se cumplen también las otras tres condiciones:

- Las mujeres no pueden escapar de la dominación de los hombres.
- Los hombres aíslan y ocultan a las mujeres.
- Los hombres dan muestras de amabilidad a las mujeres.

**Las mujeres no pueden escapar de la dominación de los hombres.** Vemos que, lentamente, van cambiando las cosas en el mundo, pero todavía no se puede hablar ni siquiera en los países occidentales de un auténtico abordaje del problema desde la raíz. En todo caso, tendrán que pasar muchos años para que la igualdad de género sea una condición cultural ampliamente extendida.

En el capítulo anterior veíamos cómo existe una amenaza real para la supervivencia de la mujer; podemos añadir ahora que la mujer no puede escapar de la dominación del hombre. No hay un país sobre la Tierra sin la lacra de la violencia de género.

Salir de esa espiral de violencia requiere medios y la mujer no los tiene, o apenas los tiene. Las mujeres como grupo, obviamente no han encontrado todavía la forma de parar el maltrato, las violaciones, el acoso sexual u otras formas de tiranía masculina.

Graham desarrolla ampliamente en *Loving to survive* las distintas formas en que la mujer no puede escapar de la violencia masculina:

- **Muy pocas mujeres** son legisladoras, líderes del país o jueces. La mayoría de cargos de responsabilidad o experiencia en Sanidad, Psiquiatría, Justicia, Educación y Empleo están en manos de hombres.

- **Hay muy pocos** recursos para ayudar a las mujeres víctimas de la violencia.

- **Muchos más hombres** que mujeres tienen a su nombre las propiedades, los negocios y el dinero, y hacen y firman contratos legales por su cuenta.

- **El control de la sexualidad** está en manos de hombres (heterosexualidad, abstinencia forzada, mutilación genital, pornografía, prostitución). El tráfico de mujeres y niños está en manos de hombres.

- **Hay más mujeres** que hombres ingresadas obligatoriamente en instituciones mentales y/o forzadas a tratamientos de electroshock y psicofármacos porque no se comportan «correctamente».

- **Los roles y trabajos** de las mujeres son mucho más restrictivos que los de los hombres.

- **Los violadores,** los maltratadores y los incestuosos suelen permanecer impunes. Sólo son arrestados un 1 % de los violadores, y sólo el 1 % de los arrestados es convicto.[3]

- **Se culpabiliza** a las mujeres de su propia victimización por los hombres. Los actos individuales contra las mujeres se achacan públicamente al masoquismo de éstas, a su fallo como esposas, a su ropa inapropiada a su seducción. Sin embargo, vistos colectivamente, estos actos dejan claro que el propósito de la violencia masculina contra la mujer es la dominación masculina.

- **Se legaliza** la prostitución, admitiendo la esclavitud sexual.

- **A las mujeres** se las anima a amar y cuidar a sus maridos, padres y abuelos, y en especial a los hijos y nietos varones. Los intentos de las mujeres por cuidar de sí mismas se consideran egoístas y desleales con sus maridos y parientes masculinos. En cambio, los hombres que miran por ellos mismos son considerados listos y valientes.

- **El concepto de belleza** femenina es el de una mujer frágil, delgada, es decir: débil. Se fomenta que se maquille, que adelgace, que lleve tacones, etc. Se fomenta en los hombres que hagan deporte, defensa personal, que vayan cómodos.

Los hombres crean así las condiciones que aseguran que las mujeres sean incapaces de escapar de ellos. Aunque se ha empezado a trabajar en el sentido contrario a los hechos anteriormente enumerados, todavía estamos muy lejos de poder decir que no son ciertos. Se cumple por tanto a nivel social la segunda condición precursora del Síndrome de Estocolmo: por ahora *no hay escape*.

> La violencia del hombre contra la mujer tiene una característica diferencial frente a otros tipos de violencia: *va dirigida a los órganos sexuales* (Barry, 1979). En otros tipos de violencia (judíos, negros, etc.) no es tan probable que se agreda directamente a los órganos sexuales. Uso el término de «terrorismo sexual contra la mujer» para referirme al hecho de que todas las mujeres, por el hecho de ser mujeres, son objetivos potenciales de la violencia masculina dirigida a los órganos sexuales femeninos.
>
> Usamos los órganos sexuales de los individuos como base para discriminar la pertenencia al grupo opresor (varones) y al oprimido (mujeres), por eso los varones dirigen su violencia y amenazas contra los órganos sexuales de las mujeres.
>
> El objetivo de esta violencia dirigida es asegurar que los órganos sexuales de la mujeres son vistos como subordinados, y los del varón como dominantes.
>
> Sigmund Freud argumentó que la envidia femenina del pene produce su heterosexualidad. Se llama «castrante» a la mujer que los hombres perciben como poderosa en sus relaciones con ellos. Se reconoce así públicamente la relación entre pene y dominación. [4]
>
> Graham, *Loving to survive*

## Los hombres aíslan y ocultan a las mujeres

- **La Historia es masculina.** El arte es masculino. La ciencia es masculina. La religión es masculina. Dios es varón. Se niega a la mujer que sea sacerdotisa. Se considera que es impura.

- **Las mujeres que se enfrentan** al varón y sobreviven a los malos tratos no suelen aparecer en los medios. Se dice que las mujeres son muy malas, astutas, mentirosas, falsas, etc. No se cree a la mujer que informa haber sufrido abusos o violencia. Se la responsabiliza de su propia victimización. Se la estigmatiza por decirlo.

- **Gran parte de la vida** de la mujer está sometida a una figura masculina dominante (padre, marido) en el hogar. No se anima a la mujer a independizarse de los hombres. Se le hace ver de alguna manera que quedarse soltera es malo y que ha de atender a las necesidades de los hombres antes de satisfacer las suyas. Se le dice que si se alinea con los varones tendrá más privilegios o beneficios.

- **Los medios de comunicación** ocultan a las mujeres que destacan. Por ejemplo, participan muy pocas mujeres en los debates públicos.

- **La cultura no fomenta** la competición entre mujeres igual que hace entre varones. Se supone que es más importante para los niños que para las niñas desarrollar su propia voz.

- **Se supone que** lo que los hombres dicen es más importante que lo que dicen las mujeres. «Las ideas de los hombres son escuchadas y respetadas. Las de las mujeres son trivializadas e ignoradas. Esto se hace muy evidente cuando en una reunión un hombre y una mujer por separado proponen la misma idea. Los hombres interrumpen y controlan los temas de conversación cuando hablan con mujeres.[5] Estas conductas invasivas se consideran aceptables cuando son realizadas por los hombres contra las mujeres».[6]

## ESTÁ AISLADA LA MUJER QUE...

- **Dedica su tiempo,** energía emocional y cognitiva al hombre (y sus hijos) excluyendo a otras mujeres, particularmente las de su propio grupo de edad y situación vital. Las mujeres más aisladas son las amas de casa de jornada completa, sin empleo, sin sueldo, sin contacto con otras personas y con hijos en edad escolar

- **No tiene acceso** a personas que mantienen las perspectivas de la mujer como opuestas a las del hombre. La cultura desanima o se muestra indiferente con las mujeres que tienen una ideología feminista. El sistema denigra el feminismo.

■ **Rodeado de mujeres,** un hombre tiende a liderar, controlar y protagonizar el encuentro (aunque esté ausente cuando éste transcurre). Un grupo de mujeres puede encontrarse (tés, cafés, etc.), pero sus miembros pueden permanecer ideológicamente aislados si hablan desde la perspectiva masculina y no la suya.

> «Cuando estamos ideológicamente aisladas experimentamos nuestros problemas, pensamientos y sentimientos como perteneciendo únicamente a nosotros como individuos. Por lo tanto, se nos impide el reconocimiento de las bases sociopolíticas de nuestras situaciones y problemas».
>
> Allen, 1970[7]

## Los hombres dan muestras de amabilidad a las mujeres. A primera vista podríamos decir que el hombre muestra tres amabilidades fundamentales hacia la mujer:

■ La caballerosidad
■ La protección y el cuidado
■ El amor

### LA CABALLEROSIDAD

Los psicólogos Eugene Nadler y William Morrow (1959) demostraron que «caballerosidad» y «sexismo» iban unidos. En su investigación crearon dos escalas de medida:

■ **Escala de subordinación abierta de la mujer.** Mide actitudes que soportan políticas tradicionales que restringen abiertamente la mujer a una posición subordinada.

■ **Escala de actitudes caballerosas hacia las mujeres.** Mide actitudes que proporcionan protección y asistencia superficial hacia la mujer, especial deferencia, especial pseudorespeto hacia la mujer, concepciones estereotipadas de la mujer como «pura, delicada, poco asertiva, y relativamente indefensa».

Las dos escalas fueron administradas a un grupo de 83 hombres y se obtuvo una correlación positiva significativa entre ambas, es decir, los hombres que abiertamente asignaban un papel subordinado a la mujer eran precisamente los que mostraban más actitudes caballerosas hacia ellas.

«El hombre que insiste en abrir una puerta a una mujer es el mismo que le impide ascender a un puesto de mando. De la misma forma, el hombre que se casa para proteger a su mujer suele ser el mismo que la pega». (McNulty, 1980).[8]

## ALGUNAS SUGERENCIAS PARA LA MUJER EN EL CORTEJO

- Llama al hombre por teléfono en vez de esperar que él te llame.
- Pídele una cita en vez de esperar a que él te la pida.
- Conduce tu coche cuando vayas con él.
- Haz el primer movimiento en sexo.
- Si no estás de acuerdo con sus opiniones díselo y no te sientas culpable.
- Si transportáis objetos pesados lleva el peso que tú puedas cargar independientemente de que tu pareja lleve menos.
- Si se le cae algo y a ti te es más fácil recogerlo, hazlo.
- Si estás tú más cerca de la puerta muéstrale tu amabilidad abriéndosela y dejándole pasar primero.
- A veces, en un restaurante caro, decide lo que vais a comer.
- A veces, retira y acerca la silla para que él se siente si él lo hace contigo.
- Si él tiene sed cómprale una bebida.
- Si él está cansado o débil levántate y cédele tu asiento si no hay más asientos libres.
- Si él no va suficientemente abrigado ofrécele tu abrigo si hace frío y ayúdale a cubrirse con él.

Si la reacción de tu pareja es de desagrado por tus amabilidades e iniciativas, y te dice que le vas a dejar en ridículo frente a los demás, que quieres demostrar que eres más fuerte, que eres una feminista radical, o que la mujer debe esperar la iniciativa del varón y cuidar de los sentimientos del varón, probablemente se siente inseguro y piensa que él no va a jugar un papel triunfador y dominante en la relación, o bien cree que le estás quitando protagonismo. Te ve demasiado segura de ti misma y difícil de controlar.

Si notas que él se siente más cómodo cuando tú te muestras más «femenina» (inmadura, aniñada, pasiva, dependiente y frágil) o cuando él juega el papel protagonista de sabio, fuerte y protector, piensa que todavía estás a tiempo de dejar esa relación y que a partir de ahí las cosas sólo pueden empeorar.

Si la amabilidad del hombre hacia la mujer fuera realmente sólo amabilidad, a un hombre le agradaría que otro hombre u otra mujer le ofreciera a él esa misma amabilidad; le gustaría que otro hombre u otra mujer le encendiera un cigarrillo o le sacara la silla al sentarse; le gustaría recibir su renta, prestigio, poder o incluso la identidad de su pareja; se sentiría orgulloso de que otro hombre u otra mujer se ofreciera a acompañarlo de noche a su coche... Pero, de hecho, «una de las cosas que más desagrada a los hombres es ser tratado o visto como una mujer, o como afeminado». (Frye, 1983).

**La protección y el cuidado.** Cuando las mujeres piensan que necesitan la protección de un hombre no se dan cuenta de que el principal motivo de temor de las mujeres del mundo está en los hombres del mundo, tal como veíamos en el capítulo anterior. Si los hombres no fueran violentos con las mujeres no necesitaríamos tanta protección. Por otra parte, el precio que pagan las mujeres por esta protección es muy alto: «Las mujeres consiguen protección física de los hombres violentos, dando a un hombre (generalmente su pareja) poder sobre su vida».[10] (Donna Stringer, 1986). Suele haber unos primeros años en la relación en los que, efectivamente, hay amabilidades hacia la mujer por parte del hombre.

> «Es divertido, todos los hombres que me encuentro quieren protegerme. No puedo imaginarme de quién».
>
> Mae West.

Esto puede durar unos pocos meses o un par de años, pero cuando acaba la fase de cortejo se entra en lo que sería el *contrato social implícito de matrimonio*, por el que la mujer ofrece al hombre toda una vida de labor doméstica, en palabras de Graham.

Veamos la lista de derechos y responsabilidades mutuos entre hombre y mujer según el estudio «Un modelo para comprender la respuesta masculina a los esfuerzos femeninos para cambiar la violencia contra las mujeres».[11] (D. M. Stringer, 1986):

## Derechos y responsabilidades mutuos entre hombre y mujer

| HOMBRE | | MUJER | |
|---|---|---|---|
| **Derechos** | **Responsabilidades** | **Derechos** | **Responsabilidades** |
| Controlar la sexualidad de la mujer. | Protegerla físicamente; enseñarle sobre sexualidad. | Seguridad física; aprender sobre sexualidad. | Sumisión sexual (sólo al protector); exclusividad sexual. |
| Etiquetar a la mujer y definir su experiencia. | Proteger socialmente a la mujer; etiquetarla apropiadamente. | Obtener legitimidad a través de sus etiquetas. | Lealtad, nutrición, comportarse según sus etiquetas (esposa/madre, etc.). |
| Imponer sus necesidades sexuales y reproducirse. | Procrear frecuentemente; no pedir sexo «extraño» a las «buenas» mujeres. | Protección física del sexo «extraño»; derecho a rechazar sexo con hombres que no son su protector. | Receptividad sexual con él o con quien él designe; criar y educar a los hijos. |

| HOMBRE | | MUJER | |
|---|---|---|---|
| **Derechos** | **Responsabilidades** | **Derechos** | **Responsabilidades** |
| Poseer mujeres. | Darles soporte económico y protección física. | Ser ayudada económica y físicamente. | Satisfacción de las necesidades físicas y emocionales de él; cuidado de sus posesiones físicas; cuidado o renuncia, si él lo pide, de sus hijos. |
| Controlar económicamente a la mujer y explotarla para su beneficio. | Darle soporte económico a lo largo de la vida; dejarle una herencia económica a la muerte. | Ser ayudada económicamente. | No interferir en la forma en que él le da soporte, aunque eso signifique vender su cuerpo. No pedir demasiado. Lealtad. |
| Usar la fuerza física si es necesario. | Usar la fuerza física sólo cuando ella lo haga necesario por su conducta. | Soporte físico y financiero. | No provocar la violencia física; actuar «correctamente»; perdonar y comprender que él use la violencia física. |

La mayoría de los derechos y obligaciones de esta tabla todavía está vigentes en nuestras culturas occidentales, aunque desde la pretendida modernidad se vean como un discurso inaceptable. En los supuestos derechos del marido está la proactividad (actividad anticipatoria que explora, decide y prepara las situaciones venideras). El varón aparece como el ser sabio y libre que «premia» a la mujer que sabe «estar en su papel» reactivo y sumiso.

«La protección de los hombres hacia las mujeres es realmente la protección de lo que ellos perciben como su propiedad».[12] (Atkinson, 1974).

**El amor del hombre hacia la mujer.** Si hay una amabilidad del hombre hacia la mujer, que ésta busca, desea y valora es el amor. Veamos cuál es el estilo amoroso del hombre hacia la mujer.

### EL ESTILO AMOROSO DEL HOMBRE HACIA LA MUJER ES SEXUAL Y AGRESIVO

Frye afirma que los hombres dicen «follar» y las mujeres «hacer el amor». Las palabras «follar» o «joder» tienen un significado de «fastidiar», «hacer daño», «agredir», que refleja la forma en que el hombre siente el acto. La palabra «follar» es agresiva porque la conducta que refleja es agresiva. «El sexo que nuestra cultura sexista promueve es un acto de hostilidad, no de amor»[13] (Frye).

## Diccionario General de la Lengua Española Vox

| | **Diccionario** | **Diccionario de Sinónimos y Antónimos** |
|---|---|---|
| **follar** (v. hollar) | 1. tr.-intr. ant. Hollar. 2. Talar o destruir. 3. vulg. Practicar el coito. 4. tr. Entre estudiantes, suspender. 5. MIL. Imponer una sanción, arrestar. | 1. tr. (malsonante) fornicar, copular, chingar. (malsonante) coitar, fornicar, cohabitar, joder. (malsonante) echar un polvo (malsonante). |
| **joder** (l. *futu*; *abere*) | 1. tr. Practicar el coito. 2. tr.-prnl. fig., fam. Molestar, fastidiar. 3. fig., fam. Estropear, destrozar, arruinar, echar a perder. 4. fig., fam. Lastimar, hacer daño. | 1. intr.-tr. (malsonante) fornicar, follar (malsonante). 2. tr. prnl. (malsonante) molestar, fastidiar, putear. (malsonante) jorobar. (col.) Puede usarse también como intransitivo. |

Los hombres hablan entre sí de sus relaciones sexuales con mujeres como de una conquista militar que los otros, de alguna manera, comparten; las mujeres hablan de sus relaciones sexuales con hombres como de una experiencia romántica y amorosa.

Woll (1989) encontró en sus estudios que los hombres que puntuaron alto en sexualidad también puntuaron alto en logros, agresión y dominación. El grupo dominante (hombres) elige de forma desproporcionada estilos de amor más egoístas y basados en el físico.[14]

La pornografía es una industria multimillonaria financiada abrumadoramente por hombres. Incluye frecuentemente actos de degradación, humillación, control y dolor hacia mujeres y niños.

Se ha estudiado que está relacionada con las violaciones. Si el amor del hombre hacia la mujer fuera sano y real no promovería la degradación o humillación de ésta.[15]

## EL ESTILO AMOROSO DEL HOMBRE HACIA LA MUJER ES LÚDICO Y SIN COMPROMISO

El hombre se considera a sí mismo joven y con derecho a vivir nuevas aventuras sexuales hasta el final de su edad adulta, mientras que la mujer considera que tiene que casarse y tener hijos antes de que «se le pase el arroz»; es decir, no mucho después de cumplir los treinta. En las películas, cuando llega la escena de la boda los amigos del novio le compadecen y las amigas de la novia la felicitan. Ella «ha pescado» un marido, en tanto que él «ha caído en la trampa». Cuando se habla de la libertad masculina parece que se habla de algo mucho más valioso e importante que la libertad femenina. Los hombres juegan al amor irresponsable y adolescente gran parte de su vida, se resisten a perder el gran tesoro de su libertad. Decir «es un soltero» es casi un halago, una situación de privilegio; en cambio, decir «es una solterona» es un comentario compasivo o degradante.

Cuando los hombres se enamoran su estilo de amor es lúdico, mientras que el de las mujeres se considera *pragmático* (práctico, lógico) y maníaco (posesivo, obsesivo, dependiente).[16]

El hombre joven (o el divorciado cincuentón), como grupo, tiene miedo al compromiso porque para él aquello sólo es un juego. Su pasión es más sexual que otra cosa, no le preocupa engañar a su pareja, puede tener varias parejas a la vez, no se compromete intensamente, se resiste a la dependencia de sus parejas, la vive como una soga al cuello. Su bien más preciado es su libertad. Siente que le quedan muchas experiencias por vivir y muchas mujeres por conocer antes de dejarse enganchar por una.

## EL ESTILO AMOROSO DEL HOMBRE HACIA LA MUJER ESTÁ BASADO EN EL FÍSICO DE ELLA

Los hombres tienen mucho más en cuenta que las mujeres la belleza física, sobre todo cuando buscan pareja para noviazgo o boda. Una mujer guapa refuerza su estatus dominante frente al grupo. Por otra parte, una mujer inteligente puede convertirse en una competidora respondona, con lo cual la falta de inteligencia no es un gran obstáculo para su elección de pareja.

«Los hombres dan más importancia al atractivo físico de las mujeres, que éstas al de los hombres». (Bar-Tal y Saxe, 1976).[17]

## EL PROTOTIPO DE HOMBRE HETEROSEXUAL «FOLLA» A LA MUJER Y AMA AL HOMBRE

Lo que el hombre entiende como «amar a la mujer» es básicamente desearla sexualmente. En nuestra cultura el varón se ama a sí mismo; si admirara, valorara y amara realmente a la mujer ésta sería protagonista de la Historia, de la ciencia, del arte, de la vida pública. Dios sería también mujer si el hombre la amara.

«Decir que los hombres correctos son heterosexuales es sólo decir que ellos tienen relaciones sexuales exclusivamente con el otro sexo... Todo o casi todo lo que corresponde al amor, los hombres más rectos lo reservan exclusivamente a los otros hombres. La gente a la que ellos admiran, respetan, adoran, reverencian, honran, imitan, idolatran, y con los que establecen vínculos profundos, a los que quieren educar y por los que quieren ser educados, y cuyo respeto, admiración, reconocimiento, honor, reverencia y amor desean... éstos son, abrumadoramente, otros hombres. En sus relaciones con las mujeres, lo que pasa por respeto es amabilidad, generosidad o paternalismo; lo que pasa por honor es colocar en el pedestal. De las mujeres ellos quieren devoción, servicio y sexo. La cultura masculina heterosexual es homoerótica; es un amor al hombre».

Frye (1983)

Lo que el hombre llama «amor a la mujer» es sexo (me refiero siempre al hombre en general, como colectivo sometido a unos prejuicios culturales. Hay grados y hay excepciones gloriosas, pero lo que relato y lo que Graham describe es la norma).

«Los estilos de amor masculinos refuerzan su estatus dominante».[18]

Vemos, pues, que las mujeres como grupo humano que interacciona con el de los hombres:

- Están amenazadas por ellos.
- Reciben pequeñas amabilidades de ellos.
- No pueden escapar de su amenaza.
- No pueden acceder a sociedades más igualitarias.

Por lo tanto, a nivel social, se cumplen las cuatro condiciones precursoras del Síndrome de Estocolmo.

## ¿En qué consiste el SE social de la mujer?

Mediante una intensa investigación científica se ha podido demostrar que el Síndrome de Estocolmo se puede aplicar a la mujer como grupo. (Allen 1991, Graham et al. 1993, Graham, Ott, et al. 1990, Naber-Morris 1990).[19]

Es decir, que dado que socialmente se dan las cuatro condiciones precursoras, tal como veíamos en el párrafo anterior, era lógico prever que los indicadores mayores del síndrome iban a caracterizar la psicología de la mujer como colectivo.

Hagamos un repaso de alguno de los datos aportados por distintos investigadores a cada uno de los indicadores.

**Miedo y depresión.** La mujer como grupo tiene más miedo que el hombre. El miedo es el síntoma básico del estrés postraumático.

La mujer vive con más miedo de moverse libremente que el hombre. Se protege más en su vida diaria, anticipándose a una posible violencia masculina por parte de extraños.

Veamos un extracto de los estudios de Gordon y Riger[20], donde se pone de manifiesto la diferente toma de precauciones para protegerse de la violencia masculina, de hombres y mujeres.

## Siempre **lo hacen**

|  | Mujeres | Hombres |
| --- | --- | --- |
| Al buscar aparcamiento piensan en la seguridad | 71 % | 33 % |
| Miran por la mirilla antes de abrir la puerta | 87 % | 60 % |
| Cuando va sola/o intenta no vestir ropa provocativa | 58 % | 10 % |
| Echa el cierre de las puertas del coche | 79 % | 64 % |
| Cruza la calle cuando ve a alguien extraño o peligroso | 52 % | 25 % |
| Antes de llegar al coche ya lleva las llaves en la mano | 82 % | 44 % |
| Se asegura de que la puerta tenga una cerradura especial o una barra | 72 % | 57 % |

Los estudios demuestran que el miedo latente más común a las mujeres es el de la violación. «Lo que más teme la mujer es la violación». (Gordon y Riger, 1989). Esto repercute en la ejecución por parte de las mujeres de unas pretendidas medidas preventivas, realizadas de forma casi automática y promovidas por la sociedad que responsabiliza así a la mujer de sufrir una agresión si sale tarde, va por lugares oscuros o solitarios, o no toma las precauciones debidas.

Veíamos que otra gran secuela de la victimización es la depresión. Todos los estudios realizados coinciden en que, aproximadamente, hay el doble de mujeres que de hombres que padecen depresión.

Weissman y Klerman (1977) señalan que la mayor predominancia (doble), de depresión en mujeres puede ser debida, entre otras cosas, a:

- Discriminación social contra las mujeres, conduciendo a impotencia legal y económica, dependencia de otros, crónica baja autoestima, bajas aspiraciones y, finalmente, depresión clínica.
- «Femineidad» creadora de defensas cognitivas contra la aserción, y un tipo de indefensión aprendida característica de la depresión.[21]

L. Robins (et al. 1984), en un estudio de resultados similares, pone de manifiesto cómo los diagnósticos asociados a las mujeres son las características de un *subordinado*: deprimido, asustado pero incapaz de detectar el origen del terror (agorafobia, fobias simples, trastorno de pánico), incapaz de expresarse, infelicidad (trastorno de somatización) y alguien que tiene que estar siempre vigilante; mientras que los diagnósticos asociados a los hombres son las características de un *dominante* (personalidad antisocial y abuso/dependencia del alcohol).

En realidad, los pretendidos «trastornos mentales» son síntomas de subordinación como respuestas normales a una patología social sexista y discriminadora. Son estrategias de supervivencia.[22]

**Vínculo con el captor.** El gran vínculo de la mujer con el hombre es el amor que ésta siente hacia el hombre.

### EL ESTILO AMOROSO DE LA MUJER HACIA EL HOMBRE ES POSESIVO Y DEPENDIENTE

La mujer enamorada tradicional busca constantemente reforzar el vínculo, se vuelve más posesiva y dependiente, no ve sentido al tiempo vivido sin la pareja, su autoestima disminuye. Hendrick, Hendrick y Adler (1988) encontraron que, a medida que crece el amor posesivo o dependiente, la autoestima disminuye. Cuanto más ama uno menos poder tiene en la relación.[23]

### EL ESTILO AMOROSO DE LA MUJER HACIA EL HOMBRE ESTÁ BASADO EN LA ACEPTACIÓN POR PARTE DE ELLA DEL FÍSICO Y EDAD DE ÉL [24]

Se pide que la mujer acepte un vínculo desigual. Se acepta que una joven se case con un viejo pero no al revés. A las mujeres se las anima para que sean psicológica y emocionalmente receptivas a hombres feos o desagradables:

- La princesa que primero ha de dormir con el sapo para que se transforme en príncipe nos está diciendo que la mujer debe aprender a acostarse con sapos.
- *La Bella y la Bestia:* nunca veremos una obra que se titule «El Bello y la Bestia».
- «El hombre y el oso cuanto más feo más hermoso».

### EL RECHAZO DEL PADRE A LA PROMOCIÓN E INDEPENDENCIA DE LA HIJA PROVOCA EN ÉSTA UN INTENSO ANHELO DE APROBACIÓN PATERNA

Belenky (et al. 1986) y Stiver (1991) sugieren que:
«Las niñas desarrollan una respuesta de Síndrome de Estocolmo ante sus padres. Es más probable que los padres rechacen a las hijas que opinan distinto que ellos, a que lo hagan las madres. Este rechazo inhibe el crecimiento de un sentimiento independiente del yo y puede explicar en parte el anhelo y el esfuerzo de las niñas para captar el interés y la atención de sus padres y conseguir así sentirse queridas por ellos.

»La violencia física de los padres lleva a las hijas a un vínculo más temprano e intenso que el de los hijos, aunque los padres prefieran a los hijos y sean sensibles a los hijos más pronto.[25]
»Vemos que el vínculo traumático y dependiente con los hombres se puede iniciar en la infancia».

---

Al no ser libre de amar como una igual, una mujer se relaciona con su pareja como un niño lo hace con su padre. Por lo tanto, no es extraño que se la considere aniñada.[26]

Broverman et al., 1970

---

## SE HACE VER A LA NIÑA QUE LOS HOMBRES «MALOS» SON LOS QUE ESTÁN FUERA DEL HOGAR, CON LO QUE LAS AGRESIONES MEZCLADAS CON AMABILIDADES DE LOS VARONES DE LA FAMILIA SE HACEN INVISIBLES

La sociedad crea la fantasía de que hay hombres malos (los violadores y maltratadores) y hombres buenos y protectores (los padres y maridos). El mito de la familia feliz ha hecho mucho daño. Parece como si el hombre malo fuera el que está por la calle y el hombre bueno el que está en casa. Sabemos ya con creces que es en el hogar donde más agresiones y abusos sexuales recibe la mujer. Por otra parte, esta división maniquea habla sólo de blanco y negro y olvida que lo que predominan son los grises. Esto incapacita a la mujer para reconocer las formas en que todos los hombres simultanean alguna amabilidad con la promoción y el beneficio que sus agresiones contra las mujeres les reportan. Por ejemplo, se aprovechan de la desigualdad no renunciando a un puesto de trabajo conseguido por ser hombre.

De esta manera la mujer se vincula al lado positivo del agresor y niega el lado negativo. Es un recurso para sobrevivir al terror y la desesperanza, y un intento de curar la enfermedad de la violencia con amor.[27]

## LA SOCIEDAD ENSEÑA A LA MUJER QUE SU VIDA NO TIENE SENTIDO SIN UN HOMBRE AL LADO, Y LA MUJER PIERDE SU IDENTIDAD COMO SER HUMANO

En un mundo más igualitario la mujer disfrutaría más de su individualidad, de su tiempo en soledad, de su creatividad, de su independencia, pero en una sociedad que le inculca desde pequeña que el bien supremo es pertenecer a un varón y que ella es un ser de segunda clase, no ve sentido a su vida en soledad. Por esto la mujer tiene una desesperada necesidad de contacto social y en especial de contacto con el hombre.

«Según la investigación, cuando la mujer intenta relacionarse y conectar con otras personas, en realidad lo que busca desesperadamente es conexión con el hombre y su aprobación. El Stone Center Group usa teorías del desarrollo que correlacionan madurez con separación y autonomía (masculinidad), por lo que presentan a la mujer como deficiente. Dicen que la identidad de la mujer viene dada por su «yo en relación».[28] Ignoran así el contexto social de violencia en el que tiene lugar el desarrollo psicológico de la mujer.

Belenky (1986), Gilligan (1982) y Jack (1991) documentan la pérdida de identidad que muchas mujeres muestran en las relaciones de pareja con hombres en rol de padre y maestro. Todavía, muchas mujeres dicen sentirse vacías cuando atraviesan un periodo vital sin un hombre en sus vidas. La profundidad de este vacío revela el alcance de la pérdida de identidad de la mujer.[29]

«Cuanta más violencia soporta la mujer en el noviazgo, mayor es la probabilidad de que la relación continúe y mayor es el amor que ella proclama. La dependencia amorosa de una mujer hacia su pareja era mayor cuanto más incapaz era de escapar de la violencia de él».[30]

La mujer se debate entre el maltrato que recibe del hombre y la necesidad de ser amada y aceptada por éste. Dos temas mayores parecen organizar la vida de las mujeres: la violencia masculina contra ellas[31] y la necesidad de conexión con el varón.[32]

«Quizás la característica más comprometedora de la clase mujer es que, frente a la horrible evidencia de su situación, obstinadamente dice que a pesar de todo ama a su opresor».[33] Estoy totalmente de acuerdo con Graham cuando dice: «Una persona que muestra una fuerte necesidad de líquidos cuando está sedienta no muestra esta necesidad cuando ya ha bebido bastante. En una sociedad igualitaria la mujer no tendría una necesidad de conexión con hombres superior a su sentido de identidad o autoestima. Creo que la mujer rechazaría las relaciones que no fueran mutuamente enriquecedoras e igualitarias. No estaría tan desesperada por tener pareja a cualquier precio. La fuerte necesidad actual de conexión de las mujeres, particularmente con los hombres, es un producto de la violencia masculina contra la mujer en nuestra sociedad. En un mundo más seguro e igualitario para la mujer, su demanda del amor del hombre no sería tan intensa y desesperada».[34]

## ALGUNAS CONSIDERACIONES SOBRE SEXUALIDAD

Los hombres que han ido mucho tiempo con prostitutas cometen dos errores: creen que son los mejores amantes del mundo tal como las prostitutas les dicen, y llaman putas a todas las mujeres que disfrutan del sexo. Ellos no suelen ser buenos amantes, porque las prostitutas fingen sus orgasmos, no les dicen lo que hacen mal, quieren acabar cuanto antes, y por otra parte ellos no conocen así la sexualidad libre y auténtica de la mujer que no se siente inferior o mercenaria. Probablemente esa sexualidad les asusta.

En el primer mundo no se hacen ablaciones de clítoris, pero también existe un gran miedo del hombre a lo que sería una sexualidad plena y «desenfrenada» de la mujer. Cuando ésta tiene deseo sexual se trata de una ninfómana con furor uterino. El Dr. John Gagnon, profesor de sociología de la Universidad del Estado de Nueva York dice que «todavía para muchos profesionales médicos los genitales de la mujer son algo que está por ahí abajo. Todo el mundo mira hacia otra parte con horror. O incluso peor, evitando descubrir lo que da placer a la mujer y cómo aumentar su placer. La preocupación del hombre es que 'si ella disfruta demasiado, ¿lo querrá hacer con otro que no sea yo?'».

La Dra. Sandra R. Leiblum, psicóloga en el Robert Wood Johnson Medical Center en New Brunswick, N. J., dice: «Cada encuesta encuentra invariablemente que hay muchas más mujeres que hombres insatisfechos con el sexo que practican». La Dra. Leiblum citó la mayor estadística realizada en Estados Unidos, en la que se encontró que una quinta parte de las mujeres y una décima parte de los hombres decía que el sexo no les resultaba satisfactorio. La Dra. Leiblum añadió que muchas de las dificultades sexuales en las mujeres son de origen psicológico: «*Muchas mujeres pueden tener orgasmos por masturbación con facilidad, cuando no se sienten presionadas para actuar de una cierta manera y no les preocupa qué aspecto tienen, cómo es su cuerpo o cómo huelen*».

En efecto, también en la intimidad del acto sexual, como era de prever, hay unas secuelas de la dominación y el maltrato masculino hacia la mujer. El placer requiere libertad. En el orgasmo la persona tiene que expresarse espontáneamente y eso es imposible si teme ser insultada por sus expresiones de disfrute o despreciada por su cuerpo. La falta de libertad en la expresión verbal de la sexualidad femenina proviene también del sexismo lingüístico: un hombre en radio o televisión puede hacer un comentario como: «Esa imagen me produce una erección» y no suena vulgar o pervertido, pero si una mujer dice: «Esa imagen hace que se me humedezca la vulva» parece algo sucio e inadecuado.

**Gratitud.** Muchas mujeres agradecen al hombre…

▪ **Que sea un buen proveedor,** aunque la pegue o moleste a sus hijos.

▨ **Que se le permita compartir** el dinero, el poder y el prestigio del compañero, sin caer en la cuenta de que es justamente el hombre el que le impide el acceso al dinero y al poder, mediante la falta de igualdad.

▨ **Que el hombre sea caballeroso** con ella aunque así fortalezca los estereotipos sexuales.

▨ **Se siente agradecida** con las declaraciones de los políticos varones: «La década de la mujer», «El día de la mujer», etc., como si los hombres poseyeran el tiempo.

▨ **Las víctimas directas** del maltrato agradecen a sus agresores que no las maten.

### Negación de la violencia y la cólera. Ellas aprenden de sus parejas maltratadoras cómo han de negar la violencia que sufren:

▨ **Con atribuciones** defensivas:[35] «Yo no soy una mujer maltratada, a mí no me pasaría»; «Ella se lo buscó»; «A fulanita sí que la maltrata de verdad». Se compara con alguien que considera inferior, con mujeres que según ella lo pasan peor, se focaliza selectivamente en los atributos que las hacen aparecer con ventaja.

▨ **Adjudican el maltrato** a una enfermedad mental cuando, por ejemplo, los violadores no muestran ninguna diferencia psicológica de los no violadores. (Griffin, 1979).[36]

▨ **Dicen que** es por culpa del alcohol. Hay maltratadores que no beben y borrachos encantadores.

▨ **Dicen que los hombres** son más agresivos que las mujeres.

- **Se culpan a sí mismas** de la violencia. Ellas se sienten culpables si agreden en defensa propia a su pareja. Cuando se pregunta a hombres y mujeres por las veces que han agredido a su pareja, los hombres ocultan cantidad e intensidad de las agresiones y las mujeres las aumentan. Esto se ha podido comprobar preguntando a los hijos que han sido testigos de la agresión (Okun, 1986). Okun sugiere que en muchas investigaciones no se tiene en cuenta quién empieza la agresión y si es en defensa propia. Las mujeres suelen usar armas en la defensa propia para equilibrar la amenaza de violencia de la pareja. (Kirkpatrick citado en Collins, 1986). La investigación indica que la mujer comete menos violencia que el hombre en la mayor parte de categorías de violencia interpersonal.[37]

Ellas aprenden de la sociedad que no se deben defender de la violencia masculina. Le hacen creer que si utiliza la defensa propia contra el hombre es una mujer insana o inestable.

- Broverman (et al. 1972) encontró que los profesionales de la salud mental consideran que la agresividad es un rasgo asociado a hombres sanos, pero no a mujeres sanas.

- Hochschild (1983) encontró que los varones que mostraban enfado fueron considerados poseedores de profundas convicciones, mientras que las mujeres se consideraron personas inestables.

Ellas temen perder su bien más preciado: el amor de su pareja. Creen que les puede costar caro expresar su enfado; el coste puede incluir la pérdida de la relación.[38]

## DESPLAZAMIENTO DE LA CÓLERA

- **Hacia sí misma.** La mujer suele desplazar hacia sí misma la cólera retenida que debería dirigir hacia el hombre. Mills, Rieker y Carmen (1984) descubrieron que los hombres maltratados se vuelven más agresivos con otras personas, y las mujeres maltratadas aumentan las conductas autolíticas y suicidas. Si el maltratador critica y culpabiliza a la mujer por su carácter, esto la lleva a depresión y baja autoestima; si critica y culpabiliza a la mujer por su conducta, la autoestima se conserva y la mujer cree que cambiando su conducta puede evitar futuras victimizaciones. (Janoff-Bulman, 1979).[39]

**▥ Hacia objetivos más seguros, como mujeres y niños.** A veces la mujer maltratada aprende a maltratar, desplaza su cólera hacia aquellos que cree inferiores: los hijos (sobre todo las niñas) y otras mujeres. Se convierte en la más sexista y cruel enemiga de las mujeres de su entorno que se muestran independientes y triunfadoras. La violencia es una larga cadena que se reproduce a sí misma. El paradigma de la violencia es «mi padre pega a mi madre, mi madre me pega a mí y yo pego a mi perro».

**Hipervigilancia.** Siempre que el ser humano está en peligro genera una respuesta fisiológica de hiperalerta. Se presta una atención intensa y focalizada al objeto o persona de donde viene el peligro. En el caso de la mujer maltratada el aumento de alerta, el estar pendiente de todos los detalles por pequeños que sean del agresor, es un recurso lógico de supervivencia que «puede permitir a la mujer obtener pistas de la pareja que indican si la conducta de ella le parece apropiada».[11]

Si toda la vida se tiene miedo a la violencia masculina, vivir con este miedo lleva a una sensibilidad especial que permite detectar los cambios en el posible agresor, por sutiles que sean. Se conoce y se maneja perfectamente el lenguaje corporal. «Las mujeres son mejores decodificadoras que los varones de pistas no verbales a todas las edades». (Hall, 1987). «Ajustan su comunicación no verbal para adecuarse al varón en la interacción». (Weitz).[12]

La mujer capta las miradas y los deseos del varón e intenta cambiar su cuerpo y su actitud para ajustarse a las demandas masculinas, aunque él no se lo pida explícitamente. Busca ser atractiva para él y espera así conseguir su amor y su aceptación. Es evidente que no se siente merecedora del afecto y la aprobación del hombre sólo por ella misma, o tal como ella es naturalmente. La mujer ha tenido un largo aprendizaje social que la ha convencido plenamente de esto.

«Se espera de la mujer que dé soporte emocional al hombre».[13] La mujer hipervigilante aprende a dar soporte emocional y refuerzo al varón, capta casi instantáneamente cada pequeño cambio de su estado de ánimo y aplaca su ira haciéndole saber continuamente que ella lo considera intrínsecamente mejor, más experto, fuerte, etc., que ella. Si el hombre sintiera que la mujer es una competidora o rival podría mostrar su dominación de en formas violentas. Cuando el hombre se enfada la mujer asume que ha hecho algo mal.

- Él no le da a ella el mismo soporte y refuerzo.
- No hace una escucha apreciativa de los logros de ella.
- Trivializa sus éxitos y evita hablar de ellos.
- El papel de confortar y halagar la descalifica en trabajos de alta competitividad.

Joyce Walstedt creó en 1977 la terminología «Orientación altruista hacia el otro» y en sus estudios comprobó que era característica de las mujeres:

El 73 % de mujeres de la muestra dijo no identificarse con la frase: «Raramente hago alguna tarea personal para mi marido, como planchar sus camisas, hacerle la maleta, doblar sus calcetines o coser sus botones», y el 70 % con la frase: «Creo que una mujer debería poner delante a sí misma, a su trabajo, a sus objetivos de trabajo educacional o de voluntariado, y a su marido detrás». Esto significa que la mayor parte de mujeres sigue realizando tareas que corresponden al varón y admitiendo abiertamente que ella se considera un ser humano de segunda. La pretendida «orientación altruista hacia el otro», más que altruismo es sometimiento y baja autoestima.[13]

## La mujer toma del hombre la perspectiva del mundo y de ella.

La mujer toma la perspectiva del captor para poder sobrevivir. Así le resulta más fácil anticiparse a sus cambios y piensa que él la maltratará menos. Cambia de perspectiva sobre el mundo y sobre ella:

- **Cuando la mujer** llega al poder adopta las perspectivas del varón.

- **Prefiere** los hijos varones.

- **Tiene un sentimiento** negativo sobre su propio cuerpo.

- **Se cree menos** competente de lo que es en realidad: Deaux y Farris (1977) encontraron que las mujeres tienen expectativas inferiores para ellas que para los hombres.[14]

- **Cree que su trabajo** vale menos que el del hombre: «A pesar de que las mujeres saben que otras mujeres son pagadas menos de lo que se merecen, piensan que personalmente no están mal pagadas. Similarmente, las mujeres no expresan menos satisfacción con sus matrimonios, a pesar de que hacen casi todo el trabajo de la casa, son las principales cuidadoras de los hijos y tienen menos poder de tomar decisiones importantes que el hombre, incluso cuando ambos trabajan fuera del hogar en horario completo».[14]

### EL HOMBRE SE CREE MÁS COMPETENTE DE LO QUE ES EN REALIDAD

Deaux y Farris (1977)[14] encontraron:

- Antes de la tarea los varones esperan hacerla mejor de lo que esperan hacerla las mujeres.
- Después de la tarea los varones creen haberlo hecho mejor de lo que creen haberlo hecho las mujeres.
- Los varones se perciben como más hábiles o capaces de lo que se perciben las mujeres.
- Los varones atribuyen su éxito a su competencia; las mujeres, a la suerte.
- Los modelos de atribución encontrados en esta investigación son paralelos a los que ofrecen los jueces de las actuaciones de hombres y mujeres en otros contextos.
- El mensaje de nuestra cultura es que la mujer no es tan competente como el hombre y eso es falso.

**Los liberadores son los malos.** La voz que recuerda a la mujer su propia identidad es la voz del feminismo. El rechazo de éste es la reacción característica de las mujeres sumidas en el Síndrome de Estocolmo Social de la Mujer, que temen ser acusadas de odiar a los hombres o ser lesbianas. Si la mujer no pone al varón por delante de ella se dice de ella que es egoísta o masculina; en cambio, de un hombre, aunque sea un maltratador no se suele decir que odia a las mujeres.

«El feminismo es odiado porque la mujer es odiada. El antifeminismo es una expresión directa de la misoginia; es la defensa política del rechazo a la mujer. Esto es así por tratarse el feminismo del movimiento de liberación de la mujer». (Dworkin, 1983). «Las mujeres que no saben que el feminismo es una teoría y un movimiento social sobre nuestros derechos ponen de manifiesto claramente el aislamiento sistemático de las mujeres de perspectivas diferentes de las de sus captores, los hombres. El miedo de las mujeres a ser etiquetadas como feministas revela que los hombres están triunfando en impedir a las mujeres que luchen por sus derechos. A menos que las mujeres luchen por sus propios derechos como mujer, es improbable que escapemos de la dominación masculina». «Uno de los mayores recursos que los hombres usan para aislar a la mujer cuando se sienten amenazados por ésta es cuestionar su orientación sexual. La etiqueta de 'lesbiana' puede ser usada por los hombres para aislar a unas mujeres de otras».[17]

*Rowland (1984) encontró en sus trabajos que las feministas, a diferencia de las antifeministas, querían conectar con el hombre sólo si no les costaba su identidad y su igualdad.*[18]

> Todavía no se ha dado una situación de liberación en el Síndrome de Estocolmo Social de la Mujer, por lo que no podemos hablar de cómo se sentirían las mujeres después de tal acontecimiento. Espero que llegue un tiempo (¿dos o tres generaciones?) en que estemos mucho más cerca de una situación igualitaria y podamos estudiar la psicología de la mujer después del cambio.

## Dos tipos de resistencia al patriarcado

Cuando nacemos somos seres libres. Los niños y las niñas se expresan y comportan espontáneamente a temprana edad, pero poco a poco van cambiando las conductas y manifestaciones a medida que la cultura adiestra a unos y otras en sus respectivos roles según el género. La niña aprende, sin que nadie se lo diga explícitamente, que es un ser de segunda categoría que debe tener satisfecho al varón y que no debe tener muchas expectativas para sí misma.

¿Qué ocurriría con esa niña si viviera en una civilización donde tuviera tantas posibilidades como el niño? ¿Qué significaría «ser mujer» en una cultura así? Son preguntas retóricas, no tenemos por ahora respuesta, pero espero que la tenga algún planeta que gira alrededor de alguna estrella similar al Sol. Espero que ése sea nuestro destino como especie.

Mientras tanto podemos aprender a resistirnos al patriarcado de una manera coherente y no violenta.

En el libro *Loving to survive* se ilustran las diferentes estrategias de resistencia adoptadas por las mujeres, recordando que incluso la más dócil y tradicional está resistiendo a su estilo. Tanto la mujer que tiene dolor de cabeza para evitar el sexo como la ama de casa que queda inmovilizada por la depresión, no pudiendo realizar sus tareas «femeninas», están protestando ante las demandas patriarcales.

**La sufridora.** La *mujer tradicional* tiene una forma de resistencia *intropunitiva*, pasiva y a veces autodestructiva; es lo que se suele llamar «una sufridora». Vuelve la cólera hacia dentro. Sufre un grado mayor de SES, no se queja abiertamente por ser ciudadana de segunda. No quiere identificarse con su propio grupo. Le agrada decir que «se entiende mejor con los hombres» y los prefiere.

Las mujeres tradicionales son pasivas e indecisas. Dirigen su cólera a los que consideran menos poderosos (mujeres y niños). Son agresivas y competitivas con otras mujeres, las critican, murmuran y cotillean. A los hombres difícilmente les expresan su cólera. Evitan los conflictos.

Pueden reírse sin sentido, despreciarse a sí mismas humorísticamente, ser gazmoñas. Se odian a sí mismas, se sienten mal en su cuerpo. Aceptan su propia «inferioridad natural». Fomentan el ego masculino a expensas del suyo. Asumen la posición de «felpudo» con los hombres. Sufren depresión crónica. Son bastante neuróticas: padecen fobias e histeria. Se esfuerzan por un estatus simbólico: casa y ropa caras, éxito profesional y económico del marido, buen comportamiento y logros de los hijos.

**La mujer fatal.** La *mujer tradicional extrapunitiva*, por contraste, está considerada por el patriarcado como la «bruja» o malvada;

sería lo que se llama una «mujer fatal». Manipula al hombre y su sistema para su propio beneficio y se niega a seguir el modelo patriarcal de «buena mujer». Es astuta y engañosa. Tiene un alto grado de narcisismo. Critica y rebaja a los hombres, directa o indirectamente («mujer castrante»). Se siente satisfecha de competir con los hombres.

Ambos tipos de mujer resisten, pero el nivel de conciencia de su protesta es generalmente bajo e intermitente y carecen de un análisis consciente de la opresión a la que se están resistiendo. El feminismo provee un análisis de esta opresión, esclarece que la mujer está combatiendo una realidad política, así como una situación individual aparentemente aislada, y por lo tanto permite dirigir la protesta hacia un cambio personal y social.[19]

## Lo que se suele entender como «psicología femenina» es la psicología del oprimido

**Según los diccionarios general de la lengua castellana y de sinónimos y antónimos de la lengua española Vox**

| varonil | femenino,-na | |
|---|---|---|
| 1. adj. viril, masculino. | 1. adj. femenil, femíneo. | «Femenil» y «femíneo» son voces escogidas que se aplican principalmente a estimables: gracia, ternura femínea. |
| 2. valeroso, resuelto, firme, esforzado, animoso. | 2. mujeril, afeminado. | «Mujeril» sugiere a menudo defectos o debilidades de la mujer: habladurías mujeriles, miedo mujeril; por esto tiene a veces matiz despectivo. |

Las características negativas asociadas culturalmente al concepto de feminidad, debilidad, miedo, astucia, critiqueo, habladurías, etc., son en realidad características propias de los grupos humanos oprimidos.

«En 1951 Helen M. Hacker comparó el estatus de casta de la mujer al de los afroamericanos («negros»). Argumentó que las características atribuidas a ambos grupos (conducta emocional y aniñada, inferioridad, irresponsabilidad «primitiva», variabilidad, conductas de indefensión o debilidad, apariencia de una inteligencia inferior, modos muy deferentes y halagos, características físicas y ropa visibles y distintivas; tienen «su propio lugar», del que no se deben mover y en el que están satisfechas/os, son felices en su papel subordinado) eran debidas a la opresión más que a rasgos innatos. Treinta años después, Hacker (1981) revisó su documento de 1951 y decidió que sus observaciones tempranas eran todavía aplicables a las mujeres.

| NEGROS | MUJERES |
|---|---|
| VISIBILIDAD SOCIAL ALTA ||
| Características raciales | Características sexuales |
| Ropa distintiva (a veces) | Ropa distintiva |
| ATRIBUTOS CARACTERÍSTICOS ||
| Inteligencia inferior. Escasez de genios. ||
| Más libre en las gratificaciones instintivas. Más emocional, «primitivo» e infantil. | Irresponsable, inconsistente, emocionalmente inestable. Carece de un fuerte súper ego. |
| Se le adjudican y envidian proezas sexuales. | Es la que tienta al varón. |
| El estereotipo es: inferior. | El estereotipo es: débil. |

➤

| NEGROS | MUJERES |
|---|---|
| RACIONALIZACIÓN DEL ESTATUS | |
| Se dice que están bien en «su lugar». El mito del negro contento. | El lugar de la mujer está en el hogar. El mito de la mujer satisfecha, femenina, feliz en su papel subordinado. |
| ACTITUDES DE ACOMODACIÓN | |
| Tono de súplica, entonación característica | Inflexión ascendente, sonrisas, risas, mirada hacia abajo |
| Maneras deferentes | Halagos |
| Disimulo de los sentimientos reales | «Artimañas femeninas» |
| Ser más listo que «los blancos». | Ser más lista que «los hombres». |
| Cuidadoso estudio de los puntos en que el grupo dominante es susceptible de influencia. | Cuidadoso estudio de los puntos en que el grupo dominante es susceptible de influencia. |
| Falsas demandas de directivas | Apariencia de indefensión |
| DISCRIMINACIONES PARA AMBOS GRUPOS Limitaciones en educación. Trabajos tradicionales. Con poca influencia política. Segregación social y profesional. | |
| Más vulnerable a la crítica. | Por ejemplo, no puede ir a bares. |

En realidad, todas estas conductas de «los oprimidos» son los mecanismos de defensa del «rehén» en el Síndrome de Estocolmo. Son recursos lógicos de adaptación y supervivencia ante el abuso de poder del blanco o del varón, del que no se puede escapar.

En vez de intuición femenina tendríamos que hablar de intuición del subordinado: «Snodgrass (1985) encontró que los subordinados, hombres o mujeres, eran más sensibles que los dominantes a los sentimientos y pensamientos de otros. Cuanta más opresión y subordinación, más rasgos femeninos positivos de sensibilidad, cuidado, etc., aparecen».[1]

«Howard, Blumstein, y Schwartz (1986) encontraron que las tácticas indirectas de influencia son más usadas por las personas que tenían menos poder en la relación. Lipman y Blumen (1984) dicen que los menos poderosos usan más de la influencia indirecta, la intuición, las habilidades interpersonales, el encanto, la sexualidad, el engaño y la evitación».[2]

«Las mujeres como grupo están más deprimidas, ansiosas y temerosas que los hombres. Además, actúan menos agresivamente, niegan su cólera a los otros y atribuyen su éxitos a la suerte y no a la habilidad, a diferencia de los hombres. Todas estas son las características negativas propias de los grupos oprimidos».[3]

De una mujer se espera que sea miedosa, tímida, ansiosa, adaptable, seguidora de las normas sociales, obediente, dependiente, sugestionable y sociable. También se dice de las mujeres que comparten y ayudan. Todas estas palabras son las que se asocian a la palabra «subordinado» y son características de un rehén, cautivo o víctima.

No es la biología la que fuerza a la mujer a comportarse así, sino el aprendizaje social desde los primeros meses de vida, que constantemente da el mensaje a la hembra de la especie humana de que si quiere sobrevivir tiene que adaptarse al dominio del varón.

«Algunas mujeres se engañan diciéndose que, aunque a los hombres no les parecieran más atractivas con maquillaje, tacones, sin canas, sin vello o delgadas, se seguirían maquillando, usando tacones, tiñendo las canas, depilando y haciendo dietas de adelgazamiento. De igual modo, muchas mujeres maltratadas que no encuentran la forma de escapar de sus parejas se dicen que siguen con ellos porque así lo eligen, olvidando el impacto de las amenazas de muerte si se van».[3] Es propio de la víctima del secuestro negar su adaptación y sus mecanismos de defensa. Una mujer sabe o intuye que se le van a poner las cosas difíciles «para ligar» si se muestra tal como es: si no se depila, no se tiñe, no ríe las gracias sin gracia, si muestra sus logros, si corrige al otro cuando se equivoca, si decide cuándo llamar por teléfono a su pareja y cuándo casarse, si defiende sus opiniones… y entonces prefiere decirse a sí misma que se arregla por ella y por las otras mujeres.

«Habiendo adoptado la feminidad y, por lo tanto, el Síndrome de Estocolmo Social como estrategia de supervivencia, las mujeres niegan activamente la subordinación: niegan el peligro que los hombres suponen para ellas, niegan que la feminidad sea una estrategia de supervivencia ante el terror creado por la violencia masculina, y niegan que somos sus subordinadas y víctimas de su violencia. Las negaciones de estos hechos son distorsiones cognitivas. Estas distorsiones ayudan a la mujer a manejar el terror y le dan una esperanza a la que agarrarse; si somos capaces de amar lo suficiente a los hombres, éstos se vincularán con nosotras, dejarán de aterrorizarnos y nos tratarán con amor y no con violencia o amenazas de violencia».[4]

Hay que conservar cualidades femeninas como el cuidado y la nutrición, la capacidad de compartir, el soporte emocional, el sentido común práctico o la humildad, siempre que ejerciendo estas cualidades no se esté encubriendo una situación de subordinación y opresión. Un amor al prójimo auténtico tiene como condición primera un amor propio sano y auténtico. Lo que parecen cualidades pueden ser recursos de supervivencia generados por el miedo, sin la característica definitoria del verdadero amor: *la libertad*.

El verdadero amor al opresor no es la sumisión, sino la denuncia de la injusticia y la exigencia de la igualdad. Si respetamos auténticamente a esa persona pararemos el abuso, saldremos de nuestro encierro y educaremos a la sociedad que la ha hecho comportarse así. No se trata de venganza sino de educación, y puede que ni siquiera con él pero sí con sus hijos, o con los hijos de sus hijos.

«La mujer necesita examinar críticamente las cualidades femeninas en términos de costes y beneficios, teniendo en cuenta los hallazgos de la investigación y decidiendo conscientemente las que se quiere mantener y las que se quiere modificar o desechar. Una cualidad femenina como el cuidado de los otros podría ser más beneficiosa que costosa en condiciones de igualdad, pero más costosa que beneficiosa en condiciones de subordinación».[4]

El amor es egoísta: exige reciprocidad en los sentimientos, en los cuidados, en las atenciones; si no, no es amor sino dependencia o sumisión. El modelo de amor desinteresado es hipócrita porque siempre hay un beneficio en una buena acción: si no sintiéramos necesidad de hacerla o nos gratificara de alguna manera no la haríamos. Es sano y adecuado exigir que el amor y la entrega no sean a cambio de nada, y si no nos corresponden dejar inmediatamente la relación. No hay que sentirse egoísta por querer recibir lo mismo que se da. Si alguien dice: «Quiero a esa persona más que a mí mismo» tiene un problema evidente de baja autoestima.

No sabemos todavía lo que es ser femenino o ser masculino, porque nuestra cultura enferma nos ha tenido engañados sobre ello desde la noche de los tiempos. Creo que estamos en la Prehistoria de la humanidad y que, si sobrevivimos, se deberá a que habremos traspasado el umbral de la inmadurez como especie. Ese umbral violento y sexista ha de dar paso a un ser humano nuevo. En ese mundo las mujeres se expresarán, crearán, jugarán, harán política, mostrarán orgullosas su sexualidad, serán heroínas y protagonistas de la Historia, y amarán libremente a un hombre divertido, tierno e inteligente, su compañero.

«Bajo condiciones de dominación se puede esperar ver mecanismos de defensa.[6] En condiciones de seguridad, se puede esperar ver un cuadro de conductas muy diferentes (por ejemplo autenticidad, juego, creatividad; cf. Hampen-Turner, 1971). Las conductas de un tipo no son ni más ni menos 'naturales' o biológicas que las del otro».

Adaptamos nuestra conducta al contexto social. Una psicología de la mujer en condiciones de seguridad y mutualidad probablemente tendría un aspecto muy diferente del de la psicología de la mujer que vemos actualmente en nuestra cultura.[11]

La psicología tradicional de la mujer (blanca, de clase media) proporciona una estrecha imagen de la mujer, puesto que está construida únicamente bajo condiciones de dominación. Además, como estas condiciones de dominación se contemplan como inevitables (y no como uno más de los conjuntos de condiciones posibles), la psicología resultante de la mujer hace que los roles sexuales parezcan  biológicamente determinados más que socialmente creados.[7]

## «Grandes hombres» y la mujer

«Freud pensó que la feminidad, el amor al hombre y la heterosexualidad resultaban del descubrimiento temprano de que ellas y las otras mujeres carecían de un pene. Creyó que este descubrimiento encaminaba a la mujer a renunciar al esfuerzo sexual activo, a dirigir hacia el hombre el afecto antes dirigido a la madre, y a desear tener hijos varones para conseguir indirectamente un pene».[8]

Este planteamiento define a la mujer como una especie de copia imperfecta del varón, un «quiero y no puedo». ¡Cuánto desconocimiento de la sexualidad real de la mujer! ¡Cuánta prepotencia y narcisismo! La capacidad sexual de la mujer, como ahora se sabe, es mucho más rica que la del hombre en cuanto a posibilidades de placer, intensidad y frecuencia orgásmica. La capacidad de engendrar vida de la mujer es el gran don de la naturaleza, la gran alegría de ser animal mamífero. La belleza del cuerpo de la mujer no tiene parangón; de hecho, los clásicos griegos que plasmaban la belleza máxima del hombre lo hacían afeminándolo.

*«Es el poder de los que tienen pene, y no el pene, lo que las mujeres envidian».*[9]

En la Grecia Clásica se consideraba que era más honroso para el varón desposarse primero con un hombre y después, para procrear, hacerlo con una mujer. La figura del protector que en una convivencia en el bosque enseñaba ciencia y sabiduría al discípulo y lo iniciaba en una sexualidad homosexual estaba muy bien vista por los padres del niño.

De hecho, los hombres han considerado y consideran en muchas tradiciones que el contacto sexual con la mujer les «ensucia», «contamina» y «hace pecar». Muchos hombres pretendidos estandartes de bondad y no violencia se avergüenzan del deseo que sienten hacia su propia mujer, y se ven incapaces de tratarla con respeto como una igual si mantienen relaciones con ella. Esta mísera vivencia de la sexualidad encubre una homosexualidad latente que desprecia a la mujer y que teme el poder de ésta cuando «no se pueden controlar los instintos» y el varón ha de satisfacerse con la hembra como un mal menor. La sexualidad con la mujer debe ser, según ellos, sólo para tener hijos. Achacan a espiritualidad lo que no es más que discriminación y homosexualidad latente. Dios no tiene nada que ver con eso.

## «Debate de Gandhi y Sanger sobre amor, lujuria y control de la natalidad», Diciembre de 1935.

Sanger, famosa escritora feminista, viajó a India en el año 1935 por invitación de la Conferencia de Mujeres Hindúes. Escribió a Gandhi antes de su llegada y se encontraron durante dos días para hablar sobre la visión de éste de la mujer y del control de natalidad.

Gandhi promovía en sus escritos y manifestaciones públicas un mejor matrimonio por medio de la continencia sexual. Rechazaba cualquier método anticonceptivo y apenas aceptaba el de mantener relaciones únicamente en las fases del ciclo menstrual en que la mujer no es fecunda. Decía que otros métodos llevarían a un aumento del sexo no procreativo, que no es más que lujuria inmoral.

### LO QUE PROPONÍA GANDHI PARA RESOLVER LA VIOLENCIA DOMÉSTICA Y LAS VIOLACIONES DENTRO DEL MATRIMONIO

SRA. SANGER: Usted ha sido un gran abogado de la desobediencia civil, Sr. Gandhi. Recomienda también que la mujer de la India adopte la desobediencia legal y marital (en casos de violencia doméstica)?

SR. GANDHI: Sí, lo hago. Pero no será necesario acercarse a ninguna resistencia parecida al resentimiento en el 99 % de los casos. Si una mujer dice a su marido: «No, no quiero», él no creará problema. Pero ella no ha sido enseñada a hacer esto. Sus padres en muchos casos no se lo han enseñado. He encontrado situaciones en las que, cuando he conocido y hablado con los padres, éstos han dicho al marido: «Por amor de Dios, no fuerces a nuestra hija a hacer esto». También he encontrado hombres razonables.

## PROPUESTAS SOBRE SEXUALIDAD:

SR. GANDHI: Cuando un marido dice: «No tengamos niños pero tengamos relaciones», ¿qué es esto sino pasión animal? Si ellos no quieren tener más niños, simplemente deberían rechazar la unión sexual.

SRA. SANGER: ¿Entonces usted cree que la unión sexual es lujuria, excepto con el propósito específico de tener hijos?

SR. GANDHI: Sé por propia experiencia que mientras yo miraba a mi mujer carnalmente no tuvimos un entendimiento real. Nuestro amor no alcanzaba un alto nivel.

*Ser mujer es ser persona.*
*Ser mujer es poder engendrar.*
*Ser mujer es poder disfrutar de un orgasmo detrás de otro.*
*Ser mujer es poder crear música o*
*matemáticas mientras amamantas.*
*Ser mujer es poder hacer política*
*desde el sentido común y la solidaridad.*

# Epílogo

## Homenaje a Mileva

Mileva Maric (1875-1948) nació en Titel, Vojvodina, provincia del norte de Yugoslavia. A los 21 años entró en el Instituto Politécnico Suizo, el mismo año que Albert Einstein, que era tres años y medio más joven que Mileva. Ella fue ese año la única mujer que empezó los estudios en la sección de Matemáticas. El Instituto Politécnico Suizo era como el M.I.T. (Instituto Tecnológico de Massachusetts) actual, de modo que Mileva tuvo que ser muy competente para entrar en él, especialmente siendo mujer.

Albert y Mileva se conocieron y se enamoraron.

En las cartas de Einstein a su novia Mileva Maric, éste decía: «Qué feliz y orgulloso estaré cuando los dos juntos consigamos que *nuestro trabajo* sobre el movimiento relativo (Teoría de la Relatividad) llegue a una conclusión satisfactoria». Dice John Stachel en su libro *Einstein and Ether Drift experiments* (1987): «Este comentario despierta una inquietante pregunta sobre la naturaleza de la colaboración de Maric».

Mileva pasó el semestre del invierno de 1897-1898 en Heidelberg, Alemania. En una carta suya a Einstein expresó la fascinación que le inspiraba una lectura sobre la relación entre la velocidad de las moléculas y la distancia atravesada por ellas entre dos colisiones, un aspecto fundamental en los estudios de Einstein sobre el movimiento browniano. Einstein admiraba la calmada independencia y las ambiciones intelectuales de Mileva. Se consideraba feliz de haberla encontrado: «Una criatura que es mi igual, fuerte e independiente como yo lo soy». Después, mientras trabajaba en la electrodinámica de los cuerpos en movimiento, Einstein escribía a Mileva refiriéndose a la Teoría de la Relatividad como *«nuestro trabajo del movimiento relativo»* y *«nuestra teoría»*.

Ella se quedó embarazada. En 1902 tuvieron una hija, Lieserl, de la que no se supo el paradero. Marija Dokmanovic, traductora de las cartas de Mileva, ha investigado recientemente sobre Lieserl. Parece que fue dada en adopción en 1902, probablemente para no asumir el escándalo que para la carrera de Mileva supondría ser madre soltera. Con toda esta situación problemática acabó no presentándose al examen final de la carrera. Imaginemos las dificultades que pasó para continuar sus estudios, con la tristeza de su frustrada maternidad a causa de los prejuicios sociales de la época.

Albert y Mileva se casaron el 6 de enero de 1903 (¿Por qué no lo hicieron el año anterior, quedándose así con su hija?). Después de su boda Mileva tuvo dos hijos, Albert y Eduard, y subordinó sus logros profesionales a los de Einstein trabajando como ayudante para él. Ella tenía siempre una sobrecarga de trabajo que le impedía desarrollar sus propias tareas y, por otra parte, accedía a un ocultamiento de su propio brillo en beneficio de su pareja. Como era previsible, Albert satisfizo los requerimientos para la licenciatura, mientras que Mileva nunca completó la tesis exigida, por lo menos una que llevara su nombre.

En 1905 Einstein publicó tres documentos en un único número del periódico *Annalen der Physik*. La Teoría de la Relatividad era uno de ellos. Se hizo famoso.

En la biografía de Mileva Maric: *Im Schatten Albert Einsteins: Das tragische Leben der Mileva Einstein-Maric*, por Trbuhovic-Gjuric, citada por los editores de The Collected papers of Albert Einstein, se dice:

«El físico ruso Abram F. Ioffe (1880-1960), director del Instituto de Física Aplicada, posteriormente llamado Instituto para Semiconductores de la Academia de Ciencias de la URSS, llamó la atención en sus *Remembrances of Albert Einstein* sobre el hecho de que en el original los artículos de 1905 fueron firmados «Einstein-Maric». Ioffe, como asistente de Roetgen, tuvo la oportunidad de ver los manuscritos que el editor había mandado para revisar y que ya no están localizables». Mileva aparecía como coautora del documento original de la Relatividad en 1905.

En realidad, Ioffe dijo sobre el manuscrito original: «Su autor fue Einstein-Mariti», y añadió creyendo que este nombre se refería únicamente a Albert Einstein: «Un desconocido oficinista en la oficina de patentes de Berna». Entonces Ioffe no sabía que Mileva había adoptado la forma húngara Mariti para su nombre serbio Maric. Sólo podía atribuir el manuscrito a Einstein y a Mariti si había visto el original firmado por ambos, puesto que Einstein no explicó este punto en ninguna de sus biografías.

Einstein mostró posteriormente a la publicación de la Teoría poco conocimiento del experimento de Michelson-Morley y del trabajo de H. A. Lorentz, ambos fundamentales y necesarios para la gestación de la Teoría de la Relatividad. No aparece ninguna referencia a ellos en los documentos del primer volumen de los *Collected papers* de Einstein, excepto en las cartas de Albert a Maric, como si fuera un tema de conversación que sólo compartía con ella. Dado el conocimiento insuficiente de Einstein sobre los trabajos de Michelson-Morley y de Lorentz, es muy lógico suponer que la experta e iniciadora de su marido en estas teorías fue Mileva Maric. Esto sugiere que, aportando ella esta información, era por lo menos tan capaz de descubrir los principios de la relatividad como su marido.

Bjerknes, un historiador científico americano, ha escrito seis libros sobre Einstein y la teoría de la relatividad:

«Hay evidencia substancial de que Albert Einstein no escribió solo su documento de 1905 sobre el 'principio de relatividad'. Su mujer, Mileva Einstein-Marity, pudo haber sido la coautora o la única autora del trabajo.

»Aunque fue presentado quizás como coautorizado por Mileva Einstein-Mariti y Albert Einstein, o únicamente por Mileva Einstein-Mariti, el nombre de Albert apareció en la publicación final como autor único del trabajo.

»Mileva y Albert han compartido autoría en documentos anteriores y Albert valoraba los logros previos de Mileva. Senta Troemel-Ploetz presentó una amplia documentación sobre la vergonzosa apropiación de Albert del trabajo de Mileva y del silencioso sometimiento de ésta».

*Albert Einstein, the incorrigible plagiarist*
Christopher Jon Bjerknes, Septiembre de 2002

Einstein se vanagloriaba en cartas a amigos: «Yo trato a mi mujer como a una empleada a la que no puedes echar».

En una carta que escribió a Mileva en 1914 redactó unas condiciones perversas y humillantes para la vida en común:

1. Velará por que:
   - Mi ropa interior y mis sábanas se mantengan limpias y en orden.
   - Se me sirvan tres comidas al día en mi despacho.
   - Mi dormitorio y mi despacho se mantengan limpios y que nadie aparte de mí, toque mi mesa de trabajo.
2. Renunciará a cualquier relación personal conmigo, salvo a las que son necesarias para mantener una apariencia social. En particular, no reclamará:
   - Que me siente con usted en la casa.
   - Que parta de viaje en su compañía.
3. Prometerá explícitamente observar los siguientes puntos:
   - No esperará de mí ningún afecto, y no me lo reprochará.
   - Me contestará inmediatamente cuando le dirija la palabra.
   - Abandonará mi dormitorio y mi despacho inmediatamente y sin protestar cuando así se lo pida.
   - Prometerá no denigrarme ante mis hijos, ni con palabras ni con actos.

Texto publicado por *Le Monde* el 18 de noviembre de 1996

Ya entonces Einstein tenía relaciones con su prima Elsa, más joven que Mileva.

Se separaron en 1914 y finalmente se divorciaron en 1919. Ese año Einstein se casó con su prima y amante, Elsa Einstein Lowenthal.

Mileva recibió la guardia y custodia de sus hijos. En una cláusula añadida Einstein aceptó dar a Mileva cualquier premio Nobel que pudiera ganar en el futuro. Él mantuvo secreto este acuerdo durante muchos años. Podríamos imaginar a una Mileva, harta ya de tanta mentira y sometimiento, diciéndole a su exmarido: Nos das a tus hijos y a mí el dinero del premio que recibas por mi trabajo y tú te quedas con la gloria, o divulgo la verdad.

Einstein cortó totalmente el trato con su hijo esquizofrénico Eduard. Mileva lo atendió sola durante toda su vida. Cuando estaba en el lecho de muerte, Einstein pidió a su hijo mayor Albert que escribiera a su «loca madre», diciéndole: «No hay necesidad de preocuparse por nada. Ni siquiera por Eduard»; el hijo enfermo mental que, muerta la madre, fue recluido de por vida en un psiquiátrico sin que su padre lo fuera a ver ni una vez.

Los años que Albert y Mileva pasaron juntos vieron los mayores logros de Einstein. Después de su separación en 1914, su física se volvió conservadora, acabaron las investigaciones sobre literatura científica, y las ideas originales y caprichosas que habían dado lugar a nuevos caminos como la Teoría de la Relatividad. Se piensa que la aportación creadora era de Mileva y al desaparecer ésta de la vida de Einstein desapareció con ella la luz del genio. Según el físico Evan Harris Lorent las ideas básicas de la Relatividad vinieron de Mileva.

Según Dokmanovic, Mileva se entregó a Albert «como una auténtica mujer serbia que hace cualquier cosa para agradar a su marido». Dice esta investigadora que Mileva encarnó el mito literario serbio de la mujer que, en un gesto heroico, se sacrifica por amor romántico hacia su marido. «A Mileva no se le dio ningún crédito pero ella tuvo un gran impacto en la investigación de Albert».

En 1987, se publicaron las cartas de Einstein a Mileva. Einstein sólo había guardado las de la última época, destruyendo las iniciales de su trabajo en común. En 13 de las 43 cartas de él a ella se encuentran referencias a las investigaciones de ella o al trabajo de colaboración entre los dos. Einstein nunca explicó de dónde sacó la idea de la Teoría de la Relatividad.

*«El secreto de la creatividad es saber cómo esconder tus fuentes».*
*Albert Einstein.*

«Comparto con el Dr. Stachel su preocupación por el maltrato que sufrió Mileva Maric, con la diferencia entre nosotros de que yo atribuyo este maltrato, quizás incluso maltrato físico, a su causante Albert Einstein. Podría citar algunas de las odiosas y misóginas diatribas de Einstein, u ofrecer evidencias de su conducta perversa, su negligencia de las obligaciones maritales y familiares, sus crueles campañas contra Mileva Maric».
Respuesta de Bjerknes a un «ataque personal de John Stachel».

Son muchas las implicaciones de que sea una mujer y no un hombre la creadora de la concepción actual físico-matemática del universo. Einstein es el arquetipo del genio masculino. Su imagen ha dado paso al mito del científico atareado en su creativo mundo interior, que no debe ser molestado por su mujer, pendiente ésta de la casa y de los hijos e incapaz de imaginar la trascendental tarea de su compañero. Podemos imaginar millones de mujeres geniales, inmoladas en aras del triunfo de sus maridos. Investigadoras, artistas, filósofas, autoras de diversas obras, que pasan primero a coautoras, luego a colaboradoras y finalmente a exesposas olvidadas y engañadas por los mismos hombres a los que han ofrecido su vida. Qué ridículo nos parece ahora ese estereotipo del varón que se da tanta importancia, cuando la mujer entre plato y plato, entre pañal y pañal, escribe en un pedazo de papel las ecuaciones con las que su marido va a luego a figurar ante el mundo.

Podríamos pensar que esto ocurría en los albores del siglo XX, pero la lacra de la discriminación sigue ahora tan viva como entonces. Las habilidades y el conocimiento de las mujeres científicas europeas están siendo desperdiciadas como resultado de la discriminación por género, según un informe publicado por la Comisión Europea el 2002-06-05. El Grupo de Helsinki sobre Mujer y Ciencia examinó datos estadísticos de treinta países europeos acerca de las políticas nacionales sobre mujer y ciencia en Europa. Se desprende de este estudio que, aunque la mujer constituye una mayoría de los licenciados en ciencias en toda Europa, cuanto más cerca de la cumbre de la jerarquía académica miramos, menos proporción de mujeres encontramos.

[1] GRAHAM, D. L. R. con RAWLINGS, E. I. y RIGSBY, R. K., *Loving to survive*, New York University Press, Nueva York, 1994.

[2] GRAHAM, *Loving to survive*, pág. 64.

[3] RUSSELL (1984), citado en *Loving to survive*, pág. 95.

[4] GRAHAM, *Loving to survive*, pág. 89.

[5] FISHMAN, citado por Parlee 1983, *Loving to survive*, pág. 64

[6] GRAHAM, *Loving to survivee*, pág. 100.

[7] GRAHAM, *Loving to survive*, págs. 115-116

[8] GRAHAM, *Loving to survive*, págs. 105-106

[9] FRYE (1983) citado en *Loving to survive*, pág. 115.

[10] STRINGER, Donna (1986), citado en *Loving to survive*, pág. 107.

[11] STRINGER, Donna (1986), citado en *Loving to survive*, pág. 108.

[12] ATKINSON (1974), citado en *Loving to survive*, pág. 107.

[13] FRYE (1983), citado en *Loving to survive*, pág. 110.

[14] GRAHAM, *Loving to survive*, pág. 140.

[15] GRAHAM, *Loving to survive*, pág. 112.

[16] HENDRICK y HENDRICK (1986), Studies 1 y 2; Bailey, Hendrick y Hendrick (1987).

[17] BAR-TAL y SAXE (1976), citado en *Loving to survive*, pág. 112.

[18] GRAHAM, *Loving to survive*, pág. 114.

[19] GRAHAM, *Loving to survive*, pág. 123.

[20] GORDON y RIGER, *The female fear*, 1989.

[21] WEISSMAN y KLERMAN (1977), citado en *Loving to survive*, págs. 132-134.

[22] L. ROBINS et al. (1984), citado en *Loving to survive*, pág. 132.

[23] GRAHAM, *Loving to survive*, pág. 140.

[24] GRAHAM, *Loving to survive*, pág. 141.

[25] BELENKY et al. (1986) y Stiver (1991), citado en *Loving to survive*, pág. 205.

[26] BROVERMAN et al. (1970), citado en *Loving to survive*, pág. 145.

[27] GRAHAM, *Loving to survive*, pág. 142.

[28] MILLER (1976), citado en Loving to survive, pág. 202.

[29] BELENKY (1986), GILLIGAN (1982) y JACK (1999), citado en *Loving to survive*, pág. 173.

[30] GRAHAM et al. (1993).

[31] DALY (1978), DWORKIN (1974), citado en *Loving to survive*, pág. 200.

[32] JORDAN et al. (1991), MILLER (1976), citado en *Loving to survive*, pág. 200.

[33] ATKINSON (1974), citado en *Loving to survive*, pág. 200.

[34] GRAHAM, *Loving to survive*, pág. 205.

[35] TAYLOR, Wood y Lichtman 1983, citado en *Loving to survive*, pág. 149.

[36] GRAHAM, *Loving to survive*, pág. 148.

[37] GRAHAM, *Loving to survive*, pág. 155.

[38] GRAHAM, *Loving to survive*, pág. 154.

[39] GRAHAM, *Loving to survive*, página 157

[40] RUBIN (1970), citado en *Loving to survive*, pág. 161.

[41] GRAHAM, *Loving to survive*, pág. 161.

[42] BERNARD (1971), citado en *Loving to survive*, pág. 164.

[43] GRAHAM, *Loving to survive*, pág. 165.

[44] GRAHAM, *Loving to survive*, pág. 170.

[45] MAJOR (1980), citado en *Loving to survive*, pág. 171.

[46] GRAHAM, *Loving to survive*, pág. 170.

[47] GRAHAM, *Loving to survive*, pág. 119.

[48] GRAHAM, *Loving to survive*, pág. 173.

[49] GRAHAM, *Loving to survive*, pág. 246.

[50] GRAHAM, *Loving to survive*, pág. 195.

[51] GRAHAM, *Loving to survive*, pág. 189.

[52] GRAHAM, *Loving to survive*, pág. 191.

[53] GRAHAM, *Loving to survive*, pág. 197.

[54] GRAHAM, *Loving to survive*, pág. 197.

[55] GRAHAM, *Loving to survive*, pág. 198.

[56] ALLPORT (1954), RAWLINGS y CARTER (1977), citado en *Loving to survive*.

[57] GRAHAM, *Loving to survive*, pág. 185.

[58] GRAHAM, *Loving to survive*, pág. 183.

[59] HERMAN y HIRSCHMAN (1981), citado en *Loving to survive*, pág. 184.

Quiero dedicar este libro a Mileva, y a las Milevas que son y serán, para que descubran nuevas visiones del universo y sean reconocidas, amadas y admiradas por sus compañeros.

He de reconocer que hice Ciencias Exactas para entender la Teoría de la Relatividad y quién sabe si para emular a Einstein. Ahora me doy cuenta de que a quien yo siempre he querido emular es a Mileva, pero a una Mileva de un mundo futuro más feliz e igualitario.

Consuelo Barea

Barcelona
7 de Septiembre de 2003